Les incontour

OISE
VAL-D'OISE

18 balades exceptionnelles

Parc
naturel
régional
Oise - Pays de France

CW00920963

Parc naturel régional
Oise -
Pays de France

Chamina
EDITION

Couverture : randonneur devant le château de Chantilly. -Vivien Therme-
Vignette : paysage de l'Oise. -Vivien Therme-
4ᵉ de couv. : bords de l'Oise à Boran-sur-Oise (gauche). -Vivien Therme-
Maisons troglodytiques à Gouvieux (droite). -Vivien Therme-

Parc naturel régional Oise - Pays de France

Une autre vie

Un Parc naturel régional est un territoire dont les richesses naturelles, culturelles et humaines sont reconnues au niveau national, mais dont l'équilibre est fragile. Il vise à concilier protection du patrimoine et développement du territoire.

En France, les Parcs naturels régionaux sont actuellement au nombre de quarante-huit. Ils représentent 15 % du territoire national et 6 % de la population. Situé dans le sud de l'Oise, en région Picardie, et dans le nord-est du Val d'Oise, en région Île-de-France, à 30 km au nord de Paris et à 10 km de Roissy, le Parc naturel régional Oise – Pays de France regroupe, en 2014, 59 communes et 110 000 habitants.

Créé en 2004, le Parc naturel régional Oise – Pays de France s'est donné pour objectifs de :

– maîtriser l'évolution du territoire en veillant à la sauvegarde des espaces naturels et à la préservation de la qualité des paysages ;

– préserver le patrimoine naturel, culturel, paysager et historique du territoire ;

– promouvoir un développement économique respectueux de l'environnement et du patrimoine ;

– développer un tourisme nature/culture maîtrisé ;

– sensibiliser le public à l'environnement et au patrimoine.

Les élus du territoire ont décliné ces missions dans une charte qui définit les grandes orientations et les mesures que s'engagent à mettre en œuvre les collectivités et l'État pendant les 12 ans de classement du territoire en Parc naturel régional.

Pour le renouvellement de la charte actuelle, en 2016, un nouveau territoire est à l'étude (voir la carte pages 4-5).

Église à Montagny-Sainte-Félicité
-PNR Oise - Pays de France-

s'invente ici

À Montépilloy -VT-

Réunion de travail. -PNR Oise - Pays de France-

La Maison du Parc naturel régional Oise - Pays de France

La Maison du Parc est installée dans le Château de la Borne Blanche, grande maison du XIXe siècle. Située à l'arrêt la Borne Blanche du RER D, elle est en plein cœur d'un parc boisé de cinq hectares, à l'orée de la forêt de Chantilly.

Château de la Borne Blanche
48, rue d'Hérivaux
BP 6 – 60560 Orry-la-Ville
Tél. : 03 44 63 65 65
Fax : 03 44 63 65 60
www.parc-oise-paysdefrance.fr
Ouverture : du lundi au jeudi
de 8 h 30 à 12 h 30 et 13 h 30 à 18 h.
Le vendredi jusqu'à 17 h.

-© -PNR Oise - Pays de France-

Le territoire

XXX Hébergements "Accueil du Parc"

Patrimoines religieux

M Musées

Châteaux

● Gares

Informations Tourisme

Maison du Parc

Parcs d'attractions et de loisirs

Parcs et jardins

Limite du PNR OPF

Projet nouveau périmètre

-© PNR OPF-

Beauvais

Verneuil-en-Halatte

Creil M

St-Leu-d'Esserent

Gouvieux

Chantilly

Forêt

Boran-sur-Oise

Abbaye de Royaumont

Asnières-sur-Oise

Chaumontel

de Chantilly

Forêt de Carnelle

Viarmes M

Luzarches

Saint Martin-du-Tertre

Monsoult

Epinay-Champlâtreux

Etangs de Comelles

O la-

Fosses

du Parc

Lille

Pont-Sainte-Maxence

Abbaye du Moncel

Verberie

Forêt

Fleurines

d'Halatte

Raray

A1

Chamant

Montépilloy

Senlis M

Mont-l'Evêque

Borest

Baron

Forêt

Abbaye de Chaalis M

d'Ermenonville

Nanteuil le Haudouin

Mer de Sable

Parc Astérix

Parc J.J. Rousseau

Ermenonville

Plailly

Kilomètres

0   4

Parc
naturel
régional
Oise - Pays de France

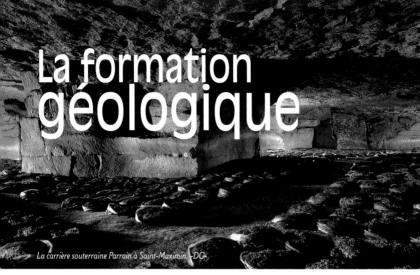

La formation géologique

La carrière souterraine Parrain à Saint-Maximin. -DC-

Trois grandes étapes géologiques

Le territoire du Parc représente une partie importante du Bassin parisien nord. Ce dernier s'est formé sur plusieurs dizaines de millions d'années, en trois grandes étapes correspondant à trois grands phénomènes géologiques.
* **La sédimentation**
* **Le soulèvement et la déformation**
* **L'érosion.**

C'est pourquoi le relief alterne vallées (Oise, Nonette, Thève, Ysieux...) et buttes témoins (Mont Pagnotte, Butte de Saint-Christophe, Buttes de Montépilloy, Châtenay-en-France ou Mareil-en-France).

Schéma coupe géologique : -© Philippe Vanardois-

Le Parc et ses cours d'eaux

Le territoire du Parc appartient au bassin versant de l'Oise dont il couvre la rive gauche. Son réseau hydrographique se compose de divers cours d'eau :
* L'Oise de Rhuis au nord à Asnières-sur-Oise au sud (40 km),
* la Nonette qui prend sa source à Nanteuil-le-Haudouin et se jette dans l'Oise à hauteur de Gouvieux (73 km, affluents Aunette et Launette compris),
* La Thève qui prend sa source en Seine-et-Marne et se jette dans l'Oise au nord de Royaumont (44 km, affluent Ysieux compris),
* De nombreux rus, affluents ou sous-affluents de l'Oise, sillonnent le Parc : ru du Fond de Noël-Saint-Martin à Rhuis, fossé Traxin à Pontpoint, ru Macquart à Verneuil-en-Halatte...

Coupe géologique de la vallée de l'Oise (gauche) au Mont Pagnotte (droite)

Vallée de l'Oise — Éperon du Camp César

Précy-sur-Oise — *Saint-Maximin* — *Apremor*

Limon loess | Carrière de craie | Gravières | Carrières de calcaire | Ancienne sablière

Craie

La richesse minérale

Carrière de craie à Précy-sur-Oise. -PNR Oise - Pays de France-

Le territoire du Parc se caractérise par la diversité de ses gisements minéraux : pierre calcaire, craie, argile, silice, grès, gypse, alluvions de l'Oise (sable)... Cette richesse minérale est exploitée depuis l'Antiquité et contribue à forger l'identité architecturale et paysagère du Parc.

• **La pierre calcaire des cathédrales :** pratiquée du temps des Romains, l'exploitation du calcaire s'est poursuivie au Moyen Âge pour la construction locale de maisons, châteaux, abbayes ou cathédrales, comme à Senlis. Les pierres de Saint-Maximin *(photo à gauche)* et de Saint-Leu étaient également envoyées par voie fluviale à Paris et à Rouen. Sous le Second Empire, grâce au développement du chemin de fer, l'exploitation des carrières s'intensifia pour alimenter les travaux d'urbanisme parisien du baron Haussmann. L'exploitation était le plus souvent souterraine via des puits ou des galeries creusés depuis les flancs des coteaux.

• **Le sable aux multiples fonctions :** l'exploitation du sable débute dès l'époque gallo-romaine. Sur le territoire du Parc, cette exploitation s'est fortement développée avec l'essor de l'industrie verrière de Saint-Gobain et l'installation de manufactures de porcelaine à Chantilly et de faïence à Creil. Elle est réalisée à ciel ouvert. Une partie considérable de la butte d'Aumont-en-Halatte a ainsi été exploitée, entre autres pour couvrir les pistes d'entraînement des chevaux de courses.

• **Adieu grès, gypse et argile...** Si certaines exploitations contribuent au développement économique (calcaire, sable, craie pour la chaux, silice), d'autres ont cessé : le grès très résistant servait aux pavés des routes, le gypse pour le plâtre est aujourd'hui épuisé. L'argile qui servait aussi bien dans la construction (tuiles, carreaux émaillés) que dans la vie de tous les jours (ustensiles en terre cuite) n'est plus extraite sur le territoire du Parc.

Les paysages
Les implantations humaines

Les activités humaines
Les roches

utte de la
aute-
ommeraye

Mont Alta

Aumont-en-Halatte

Butte de
Saint-Christophe

Fleurines

Mont Pagnotte

Ancienne sablière

Anciennes carrières d'argile

Anciennes carrières de sable et de grès

Meulière

Sable

Gypse

Calcaire

Argiles

Calcaire

Sable de Beauchamp

Sable de Cuise

7

Les massifs
Forestiers

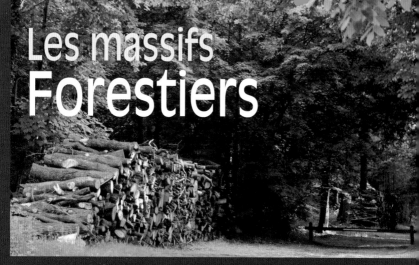

Dans la forêt domaniale d'Halatte. -VT-

Le Parc est marqué par la présence de trois massifs forestiers qui couvrent à eux seuls 20 000 ha de son territoire. Lieux de nature mais aussi d'histoire et de culture, ces massifs créent des ambiances magiques que seule la forêt peut susciter.

La forêt d'Ermenonville

Le massif d'Ermenonville se caractérise par son sol très sableux, ses dunes nées du vent, ses blocs de grès. Autrefois, seuls des petits bois et des landes à bruyères où venaient paître les moutons formaient le paysage. Ce n'est qu'au XIXe siècle que les pins ont été plantés afin de valoriser les sols ingrats. En 1825, l'Administration des Eaux et Forêts décide de boiser les zones vides avec des pins maritimes et surtout des pins sylvestres, essences particulièrement adaptées au sable. Pour le reste, le massif reste une terre de feuillus où le chêne est roi avec près de 1 500 ha d'occupation.

Domaine royal avant le XIIe siècle, le massif appartient ensuite pour l'essentiel à l'Église jusqu'à la Révolution fran-

çaise. Depuis la Restauration, sur les 6 500 ha de forêt, la moitié appartient au Domaine (forêt domaniale). La forêt de Chaalis (600 ha) est propriété de l'Institut de France tandis que 2 600 ha sont restés privés. Marquée par l'Histoire, la forêt connut des tragédies au XXe siècle : un quart de ses bois fut brûlé pendant la Seconde Guerre et, en 1974, un DC10 s'y écrasa faisant 346 victimes.

La forêt de Chantilly

Le massif de Chantilly se compose de sept entités parfaitement identifiables. Au centre se trouvent les forêts de Chantilly à proprement parler et de Pontarmé ; au nord, les bois de la Coharde, de la Basse-Pommeraie et du Lieutenant ; au sud, la forêt de la Coye et le bois Bonnet. L'ensemble s'étend sur 6 300 ha, essentiellement aménagés pour la chasse à courre. Au fil des siècles, le domaine s'est étendu par la volonté de ses propriétaires successifs, passionnés de chasse. À partir de 1669, sous les princes de Condé, la forêt est organisée en grandes allées rectilignes et en carrefours en étoiles conçus par Le Nôtre, concepteur des jardins de Versailles. En 1884, le duc d'Aumale, dernier héritier des princes, lègue le domaine à l'Institut de France. Peuplée majoritairement

Le pic noir

Avec ses 46 cm d'envergure, c'est le plus grand. Il se reconnaît à son plumage noir et sa calotte rouge qui va du front à la nuque. Il virevolte d'un arbre à l'autre en criant. Dès janvier, la parade nuptiale commence : le mâle et la femelle s'attirent par des cris et des contacts, mais aussi par des petits coups de bec sur les troncs secs. Le rythme de ce « tambour » peut atteindre 20 coups par seconde !

Illustration : -VT-

de chênes, de tilleuls, de hêtres et de charmes, la forêt était autrefois exploitée en taillis sous futaie, afin de favoriser l'abondance du gibier. Aujourd'hui gérée par l'ONF, l'exploitation en futaie y est privilégiée.

La forêt d'Halatte

Cette forêt fut occupée dès le Néolithique comme en témoignent les nombreuses pierres levées (menhirs, dolmens, tables...) puis défrichée par les Gaulois et les Romains dont on a retrouvé les vestiges d'un temple. Elle garde les empreintes de l'Histoire avec ses bornes armoriées, l'obélisque du roi de Rome (fils de Napoléon), la fontaine des Lys...

Halatte se caractérise par ses buttes-témoins telles que le mont Pagnotte, point le plus élevé du Parc (222 mètres)... et par la beauté de ses bois. Au nord elle jouxte la forêt de Compiègne, avec ses futaies « cathédrales » de hêtres, qui appartenaient au Domaine royal. Au sud, elle est essentiellement composée de taillis sous futaie où les chênes et les tilleuls prédominent.

Avec 28 000 m³ de bois récoltés chaque année, sa production est la plus importante des trois massifs.

En forêt d'Halatte. - VT-

En forêt de Chantilly. -VT-

Les plaines et vallées

Paysage autour d'Orry-la-Ville. -GG

Hormis les massifs forestiers, le Parc est composé de différentes entités paysagères, espaces de transition avec les territoires voisins : la vallée de l'Oise au nord et à l'ouest, le Valois agricole à l'est, la Plaine de France et la vallée de l'Ysieux au sud, la Goële et le Multien au sud-est.

L'Oise de Chimay à Paris

• *Une voie historique :* elle prend sa source en Belgique, près de Chimay, et conflue avec la Seine à Conflans-Sainte-Honorine après plus de 300 km de course. Long trait d'union entre le bassin parisien et ceux de la Meuse et de l'Escaut, elle forme une voie historique et économique de première importance. Sa vallée, peu marquée, est un passage qu'ont emprunté les marchands avant même le Moyen Âge ainsi que les envahisseurs et les armées au fil des siècles, menaçant directement Paris. Les Allemands tenteront de passer en force par cette « trouée » en 1914 et 1940. Compte tenu du peu de reliefs de la vallée, une autre menace subsiste : ses crues peuvent être destructrices comme celles de 1993 et de janvier 2011.

• *Une voie navigable :* depuis Janville, elle est suppléée par un canal latéral jusqu'à Chauny dans l'Aisne. Ce canal crée la jonction avec les grands canaux du nord et de l'est. Après Chauny, l'Oise est une rivière directement aménagée pour la navigation, avec ses écluses et ses bords aménagés, ses chemins de halage… Si l'Oise est aujourd'hui le troisième axe fluvial de France avec 7 millions de tonnes de fret par an, sa navigation peut également être de plaisance.

• *Les bords de l'Oise :* sur le territoire du Parc, les bords de l'Oise, longés par le chemin de halage, alternent des franges agricoles, des prairies, des bois ou des étangs comme les anciennes sablières. Les zones portuaires et d'activité sont présentes aux abords des centres urbains (Creil, Pont-Sainte-Maxence…). Cette conurbanisation industrielle mais aussi commerciale et résidentielle est favorisée par les axes routiers et ferroviaires qui empruntent la vallée.

Écluse barrage de Boran-sur-Oise. -PNR Oise - Pays de France-

La plaine de France et la vallée de l'Ysieux

La pointe nord de la plaine de France, délimitée par la vallée de l'Ysieux, constitue une entité paysagère du Parc. Ce territoire se caractérise par un plateau de grandes cultures, gagné par l'urbanisation, et des massifs boisés. La vallée de l'Ysieux forme une dépression qui contraste avec le plateau et marque la transition avec la forêt. Au nord de la rivière, le paysage change radicalement pour laisser place aux massifs boisés du bois du Bonnet et de la forêt de Coye. La vallée donne un relief plus ou moins encaissé de l'amont à l'aval, rythmé par les méandres du cours d'eau. Au sud, une série de buttes témoins occupe le rebord du plateau de France avec de nombreux villages (Mareil-en-France, Châtenay-en-France, Epinay-Champlâtreux, Jagny-sous-Bois) qui marquent la rupture géographique avec la plaine. Les buttes de Mareil-en-France et de Chatenay-en-France offrent des points de vue donnant sur plusieurs dizaines de kilomètres alentours. Cette partie ondulée et variée va laisser place plus au sud aux vastes étendues cultivées donnant sur les franges de l'agglomération parisienne.

La plaine de Valois

Le Parc comprend la pointe ouest du Valois. L'histoire de cette région se confond avec celle de France et de ses rois. En 1789, dans le gouvernement d'Ile-de-France, le Valois comprenait huit villes : Senlis, Acy-en-Multien, Compiègne, Crépy-en-Valois, la Ferté-Millon, Nanteuil-le-Haudouin, Verberie et Villers-Cotterets. Mais ce pays correspond aussi à une réalité naturelle.

C'est un plateau calcaire délimité au sud par la Thève, à l'ouest par l'Oise, au nord par l'Aisne et à l'est par l'Ourcq et creusé de petites vallées humides qui ne font qu'ajouter à sa beauté.

Le plateau présente un relief doux, des paysages ouverts, marqués de buttes boisées à partir desquelles la vue se perd à l'horizon.

Le plateau dénudé de la Montagne de Rosières offre ainsi des panoramas remarquables sur le Valois. Les villages édifiés sur les hauteurs, les chemins qui relient hameaux, fermes et prieurés ramènent au riche passé de cette contrée tandis que les infrastructures plus modernes sont les témoins d'une activité agricole et économique bien présente.

Commune de Fosses, vue sur la vallée de l'Ysieux. -GG

Les corridors écologiques

Passage d'une forêt à une autre. -VT-

Les amphibiens empruntent leurs propres corridors lors de migrations. -DB-

• Haies, talus, rives arborées, lisières de forêt...

Lotissements, routes ou clôtures constituent des obstacles, parfois infranchissables, pour les espèces sauvages. Cet isolement « forcé » dans des espaces restreints, augmente le risque de mortalité des individus (difficulté à trouver nourriture, abri ou partenaire, consanguinité…).

Haies, talus enherbés, rives arborées des cours d'eau, lisières forestières, champs constituent des «voies de déplacements» permettant aux espèces sauvages de se déplacer en toute sécurité d'un espace naturel (forêt, mare, étang, etc.) à un autre. Ces milieux sont appelés « corridors écologiques ». La continuité écologique entre la forêt de Carnelle et le bois de Bonnet puis la forêt de Chantilly est assuré par un étroit corridor boisé situé entre Viarmes et Seugy. Le Parc naturel régional Oise-Pays de France et ses partenaires veillent au maintien de cet espace.

• La migration des batraciens

Les milieux humides abritent de nombreux amphibiens. Ils y naissent, grandissent et y retournent chaque année au printemps pour se reproduire. Le reste de l'année, la grande majorité d'entre eux vit dans les forêts, les berges, les jardins… La protection de ces amphibiens passe par la préservation de leurs habitats mais aussi des corridors qu'ils empruntent lors de leurs migrations. Pendant près de deux mois, des bénévoles collectent les animaux d'un côté de la route pour les relâcher de l'autre !

Exemple de corridor écologique : clôture SNCF à Orry-la-Ville. -PNR - Oise Pays de France-

Les marais et prairies humides

En haut à droite : Orchis pourpre. -VT- Agrion mercure. -Crédit photo couv III-

• Des zones humides diverses :

le réseau hydrographique du Parc s'accompagne de milieux humides : prairies, tourbières, marais ou étangs. Dans le massif de Chantilly, la Thève alimente les étangs de Comelles, les marais de la Troublerie et du Lys. En forêt de Coye, les sous-bois marécageux et les tourbes sont remarquables. Dans le massif d'Halatte, dépourvu de cours d'eau, les bancs d'argile retiennent l'eau en nappe, comme sur le mont Pagnotte ou en mare sur le mont Alta. Dans les vallées inondables, les prairies humides et les anciennes sablières, constituent des écosystèmes à même de développer des milieux écologiques interessant.

• Faune et flore exceptionnelles :

selon la nature du milieu, on découvrira le très rare *orchis morio* (orchidée), l'iris jaune, la prêle ou encore la grande douve et l'euphorbe des marais. De nombreuses espèces de fougères se développent comme l'osmonde royale, l'ophioglosse et la langue de cerf. Parmi les insectes les plus rares citons l'agrion de mercure chez les libellules, la noctuelle de l'aulne et le double-zéro chez les papillons.

Les amphibiens sont très présents comme le crapaud commun ou plus rare comme le triton crêté qui fréquente mares et sous-bois. Le martin-pêcheur, le phragmite des joncs, le canard souchet et des hivernants comme les fuligules peuplent entre autres oiseaux les rivières et les plans d'eau.

Des cerfs dans les trois forêts

Longtemps menacé par le braconnage et l'activité humaine, le cerf est emblématique des trois forêts. Les hardes qui regroupent les biches et les faons sortent à l'aube ou au crépuscule, utilisant des itinéraires que l'on peut deviner à leurs traces. Les jeunes mâles vivent en petit groupe tandis que les vieux cerfs, solitaires, rejoignent leur harde à la saison des amours. De mi-septembre à mi-octobre, les mâles sont en rut. Les forêts résonnent alors du son mystérieux et puissant du brame, qui désigne à la fois la période de reproduction et le cri émis par le mâle. C'est une période très éprouvante pour les cerfs, ils ne mangent presque plus et n'ont pas de répit : intimidation ou combat contre les jeunes prétendants, accouplement, surveillance de la harde... ils peuvent perdre jusqu'à 20 kg.

-VT-

Les landes

Tapis de callune qui constitue les landes. -VT-

Faune et flore à protéger :
Le réseau de landes du massif forestier d'Ermenonville constitue l'un des ensembles écologiques les plus précieux de Picardie et du nord de la France. Ces espaces sont reconnus d'intérêt européen. Les landes sont des milieux naturels ouverts, dominés par la bruyère, la callune et parfois le genêt. Elles sont caractéristiques des sols pauvres sableux. Ce sont des habitats originaux, en voie de disparition sur le territoire du Parc du fait des boisements. Elles abritent des plantes rares et une faune spécialisée telle la decticelle des bruyères, le papillon miroir ou l'engoulevent d'Europe et le lézard agile.

Pour préserver ces riches milieux, le Parc travaille avec ces partenaires à :
- ne pas les boiser de manière volontaire,
- lutter contre le boisement spontané par des chantiers de volontaires ou en réintroduisant le pâturage,
- créer des continuités en s'appuyant, par exemple, sur le maintien et l'ouverture des bords de chemin.

Ce sont des paysages que Gérard de Nerval ou Jean Jacques Rousseau ont beaucoup apprécié.

-VT-

L'engoulevent d'Europe

C'est une espèce d'oiseau rarement observée. Il chante au crépuscule et chasse des insectes la nuit. Il est très difficile à repérer, en raison de son camouflage que lui confère son plumage aux teintes de feuilles mortes et d'écorce. Visiteur d'été en France, il migre en Afrique en hiver. De la taille d'une tourterelle il fait son nid dans un creux du sol et y pond deux œufs en une ou deux pontes de mai à juillet. Son habitat préféré est constitué d'un sol sec et chaud et des clairières. Son chant est un ronronnement typique, continu, sonore, rapide et dur. Il est émis sur plusieurs minutes et est audible à un kilomètre à la ronde. Il le répète durant des heures du crépuscule à l'aube.

Les pelouses calcicoles

Paysages de l'Oise - Pays-de-France. -VT-

Ophrys abeille. -PNR Oise - Pays de France-

Des milieux abandonnés :

sur les coteaux calcaires, secs et ensoleillés, se développent des pelouses constituées d'herbacées rases et d'une flore spécifique : gentiane croisette, millepertuis perforé, anémose pulsatile et orchidées. Elles constituent un paradis pour les sauterelles, les criquets et les papillons tel l'azuré bleu céleste.

Certains vertébrés relativement rares y vivent : le lézard agile, la coronelle lisse. Ces pelouses calcicoles sont issues des défrichements réalisés depuis le Néolithique, elles ont été utilisées pendant des siècles comme pâturages, elles sont aujourd'hui abandonnées. Sur le territoire du Parc, ces milieux menacés se trouvent principalement sur les coteaux de l'Oise. Certains sont classés Natura 2000.

Un milieu riche en orchidées :

cette fleur se distingue des autres par un pétale central, destiné à attirer, par différentes ruses, les insectes qui contribueront à leur reproduction.

Sur les pelouses du Parc se trouve l'ophrys abeille avec sa fleur rose sur laquelle est « posé » un faux insecte. À l'instar de l'ophrys mouche et de l'ophrys araignée disparu, il imite parfaitement l'abdomen des femelles attirant ainsi l'insecte polinisateur.

Chez d'autres orchidées comme les platanthères, les orchidées-bouc, c'est une odeur qui se dégage, attirant également les insectes pollinisateurs au printemps.

Les sites Natura 2000 du Parc

Natura 2000 est un réseau européen d'espaces naturels désignés pour la rareté des espèces et des milieux qui le composent.

Dans le Parc, les sites Natura 2000 représentent 20 % du territoire. Le PNR a été désigné par les acteurs locaux (regroupés en Comité de pilotage) pour réaliser et animer les documents de gestion de ces sites :

- **le site « Massifs forestiers d'Halatte, de Chantilly et d'Ermenonville »**, avec ses habitats (landes) et espèces (agrion de Mercure) rares.

- **le site « Massifs des Trois Forêts et bois du Roi »** pour son intérêt ornithologique (engoulevent d'Europe, pic mar et pic noir, bondrée apivore…).

- **le site « Coteaux de l'Oise autour de Creil »** pour ses milieux rares (pelouses calcicoles ; forêt de ravins à tilleuls et érables ; formations arbustives de buis).

Au cœur de l'histoire
Senlis

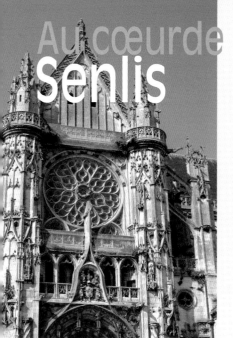

Cathédrale Notre-Dame de Senlis. -VT-

*S*enlis… ce nom est synonyme de grandes heures de l'Histoire de France. Aujourd'hui encore, cette ville, ses pierres et son décor, racontent un passé riche et passionnant.

Une cité gallo-romaine

Lieu de passage, le Pays de France fut investi par les hommes très tôt. Au cœur du pays des Gaulois sulbanectes, Senlis garde les vestiges d'Augustomagus, nom qu'elle portait à l'époque gallo-romaine. Au Ier siècle, des arènes furent édifiées. Abandonnées au Ve siècle, elles seront redécouvertes en 1865.

Dès le IIIe siècle, la cité est entourée d'une muraille de quatre mètres d'épaisseur flanquée de trente tours dont la majeure partie subsiste encore. Elle sera doublée par une seconde enceinte, celle de Philippe Auguste, constituée de tours, portes et poternes (XIIIe s), puis de bastions et d'éperons apparus sous François Ier.

Un temple gallo-romain, toujours visible, fut édifié en forêt d'Halatte (Ie-IVe s). Il était dédié aux dieux guérisseurs. Ses ex-voto anatomiques sont conservés au musée d'Art et d'Archéologie *(photo page 57)*.

Le berceau du royaume de France

*S*enlis fut tour à tour lieu de résidence des rois mérovingiens, terre d'élection des Capétiens et ancien comté. La ville est sans conteste au cœur de l'Histoire de France. En 987, en chassant dans la forêt entre Senlis et Compiègne, le dernier roi des Francs, Louis, fils de Lothaire III, fait une chute de cheval mortelle. Il n'a pas vingt ans et laisse le trône sans succession. Les grands du royaume se réunissent alors à Senlis et choisissent pour souverain Hugues Capet. 987, la date est fameuse, elle consacre la fin de la dynastie carolingienne et le passage de la dignité royale, pour de très longues générations, dans le lignage capétien. Le royaume franc laisse place au royaume de France. Du château royal, théâtre de l'élection et lieu de séjour des rois jusqu'à Henri IV, il ne reste que des vestiges. Mais de la splendeur de Senlis, du Moyen Âge au XVIIe siècle, les témoignages sont nombreux : remparts de Philippe Auguste, prieuré Saint-Maurice construit à la demande de Saint-Louis, cathédrale Notre-Dame, chef-d'œuvre gothique, hôtels particuliers des XVIIe et XVIIIe siècles. C'est dans l'un d'eux, à l'hôtel Dufresne, que Foch installe son QG entre 1916 et 1918. Il y préparera l'Armistice.

Née il y a 800 ans Chantilly

D'une simple forteresse entourée de quelques fermettes, Chantilly est devenue au fil du temps une merveille du patrimoine français.

Naissance d'une ville

Une première forteresse, construite par les Bouteiller de Senlis, voit le jour au XIIIe siècle. Il n'en reste rien aujourd'hui. Un siècle plus tard les Orgemont font édifier un château fort dont seuls les soubassements subsistent. Quelques hameaux comme Quinquempoix apparaissent autour de l'édifice mais la ville de Chantilly n'existe toujours pas. En 1560 Anne de Montmorency transforme le château en palais Renaissance et fait construire sur un îlot le Petit Château (ou capitainerie). Dès lors, le domaine de Chantilly devient un haut lieu de chasse prisé des princes et des rois. En 1632 Louis XIII confisque le domaine aux Montmorency. Dix ans plus tard la régente Anne d'Autriche le rend à la princesse de Condé, sœur de Henri de Montmorency.

C'est au Grand Condé, fils de la princesse, que l'on doit en partie Chantilly : entre 1660 et 1686 il transforme le domaine, fait construire des hôtelleries à proximité pour les artisans et commerçants. Le Nôtre embellit le parc avec le grand canal, le pavillon de Manse, des parterres, des fontaines... En 1687, le fils du Grand Condé lance la construction de l'église qui fonde la paroisse de Chantilly : la ville est née.

Source : site officiel de la ville de Chantilly)

Les Grandes Écuries de Chantilly

Le somptueux édifice du château de Chantilly, construit à partir de 1721, n'a pas été achevé par son inépuisable bailleur de fonds, Louis-Henri de Bourbon dit le Grand Condé, lorsqu'il meurt en 1740. Ses Grandes Écuries demeurent encore sans équivalent au monde. Ce palais d'une exceptionnelle monumentalité avec sa façade néoclassique de 186 m de long a été dessiné par l'architecte Jean Aubert. La nef de 12 m de largeur et 14 de hauteur accueille 120 chevaux de chaque côté d'un pavillon central en avant-corps et à dôme (de 26 m) surmonté d'une Trompette de la Renommée. Une cour latérale à l'est était destinée aux remises et aux carrosses des résidents du château. L'autre cour, à l'ouest, accueillait les chiens regroupés dans des chenils pour les meutes du cerf, du daim, du chevreuil ou du sanglier. L'œuvre animalière sculptée par R.-F. Bridault est sublime, chevaux hennissant sur le portique à colonnes, 4 cerfs dans la salle du dôme et l'hallali du sanglier au portail d'entrée des chenils. Tout l'équipement vivant et matériel de la chasse à courre est ici fabuleusement réuni.

Les Grandes Écuries ont été transformées en caserne à la Révolution. Elles retrouvent leur vocation et sont modernisées par les ducs de Bourbon puis d'Aumale au XIXe siècle. Depuis 1982, l'édifice abrite le musée vivant du Cheval récemment rénové.

Château de Chantilly -VT-

Le musée Condé

La collection de peintures anciennes est celle du duc d'Aumale. L'une des plus importantes de France avec ses Delacroix, Poussin, Raphaël ou encore Corot, Watteau, Ingres, Boticelli...

Des abbayes royales

Pas moins de sept abbayes émaillent le territoire du Parc. La plupart d'entre elles ont été fondées par les rois de France qui aimaient s'y recueillir. Aujourd'hui, plus ou moins bien conservées, elles restent, avec leurs parcs, des lieux de culture.

Abbaye royale de Chaalis. -VT-

Chaalis et les fresques de Primatice

Fondée par Louis VI en 1136, Chaalis, comme Royaumont, verra souvent Saint-Louis y séjourner. Au Moyen Âge, l'abbaye cistercienne connaît un grand rayonnement spirituel. À la Renaissance, le cardinal d'Este, créateur des jardins de Tivoli près de Rome, y attire de grands artistes italiens comme l'architecte Derlio ou Primatice qui décorera la chapelle de l'Abbé de fresques exceptionnelles...

Abbaye de Moncel. -PNR Oise - Pays de France-

En 1737, Jean Aubert, bâtisseur des grandes écuries de Chantilly, est chargé de construire un palais abbatial mais la Révolution arrive, et seule l'aile nord sera construite avant 1789. Le château deviendra propriété de Nélie Jacquemart-André, passionnée d'art. Elle lègue à l'Institut de France un lieu habité de sculptures antiques, de tapisseries, de tableaux de Giotto... On lui doit également la magnifique roseraie du jardin clos.

Hérivaux nid d'amour

• Hérivaux : en 1140, le seigneur de Marly-la-Ville quitte son château pour se retirer dans un lieu inhospitalier baptisé « le *Val de l'Ermite* ». Avec quelques compagnons, il défriche ce terrain où coulent plusieurs sources et fonde l'abbaye d'Hérivaux. En 1796, l'écrivain et homme politique, Benjamin Constant, acquiert le bien qu'il transformera pour y loger sa maîtresse, Madame de Staël, avec laquelle il entretient une liaison quelque peu orageuse.

Moncel et les entrailles de la Reine

C'est vers 1309 que le roi Philippe le Bel fonde cette abbaye, à proximité de son château. En 1335, les premières religieuses, des clarisses, s'y installent. Le roi Philippe VI de Valois aime s'y rendre pour chasser et se recueillir avec la reine, Jeanne de Bourgogne. À la mort de celle-ci, ses entrailles furent scellées dans les dalles de l'église. En 1535, trois reines se retrouvent dans l'abbaye pour relancer une paix chancelante que les mères de François Ier et Charles Quint avaient réussi à conclure six ans plus tôt (la paix des Dames). En 1789, dès qu'éclate la Révolution, la plupart des religieuses quittent l'établissement. En 1792, la dernière abbesse et quelques sœurs fidèles sont expulsées par les officiers municipaux qui prennent possession des bâtiments conventuels et les mettent en vente comme bien national. Ainsi s'arrête l'activité spirituelle de l'abbaye royale après 450 années d'existence. L'église est démontée pierre par pierre et des marchands de vins occupent les celliers du couvent. Un pensionnat entretient le site jusqu'en 1982. Il est ensuite confié au « *Club du vieux manoir* » qui redonnera vie à ses splendeurs, son immense cellier voûté d'ogives, ses dortoirs aux charpentes médiévales ou son réfectoire orné de fresques admirables…

Royaumont, une abbaye devenue filature

Royaumont *(photo ci-dessous)* est une abbaye cistercienne fondée en 1228 par Saint Louis (Louis IX) et sa mère, Blanche de Castille. Cent quarante moines y résident dès sa fondation. Le roi lui-même aime y faire de nombreuses retraites et y vit selon la règle monastique. Abbaye royale, Royaumont jouit d'une aura exceptionnelle. À la mort de Saint Louis, l'abbaye, haut lieu de savoir et de culture, reçoit un tiers de la bibliothèque royale. Les successeurs de Louis IX délaissent Royaumont. Durant la guerre de Cent Ans (1337-1453), l'abbaye est régulièrement rançonnée. Elle retrouve sa prospérité après les troubles mais, devenue une abbaye en commende, les bénéfices qu'elle génère sont versés aux abbés commendataires qui les utilisent plus pour leur intérêt propre que pour ceux de l'abbaye. Ainsi en 1785, le dernier abbé fait édifier un palais abbatial inspiré du petit Trianon. En 1790, au lendemain de la Révolution, les biens et revenus de l'abbaye deviennent bien nationaux. En 1791, le marquis de Travenet achète l'abbaye et y installe une filature de coton utilisant l'énergie d'une roue hydraulique, elle fonctionnera jusqu'en 1860. En 1869, un noviciat s'installe mais les sœurs doivent quitter les lieux en 1904. Ce sont les descendants d'un riche industriel, Jules-Édouard Goüin qui racheta l'abbaye en 1905, qui créèrent Fondation Royaumont : la première fondation culturelle de France voyait le jour, c'était en 1964.

-VT-

Châteaux et parcs
romantiques

Ce n'est pas un hasard si les paysages, les décors de châteaux et d'abbayes qui se trouvent sur le territoire du Parc ont séduit de nombreux écrivains, notamment les romantiques.

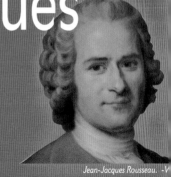

Jean-Jacques Rousseau. -V

Rousseau en son jardin

Nous sommes au XVIIᵉ siècle, les parcs des châteaux se dotent de jardins « à la Française ». Rousseau les fustige, il les trouve trop maîtrisés, trop rectilignes. Dans sa première œuvre, *la Nouvelle Héloïse*, il défend une esthétique plus proche de l'état sauvage. C'est de l'univers de ce roman épistolaire que le marquis René de Girardin s'inspire pour concevoir le parc aujourd'hui classé d'Ermenonville *(photo ci-dessous)*. La végétation y est plus foisonnante, la nature plus habilement imitée ; ici ni parterres de fleurs à la Le Nôtre, ni massifs de roses. Le paysage répond à ce qui deviendra les canons du romantisme avec ses étangs, ses cascades, ses arbres remarquables... Pour le plaisir des yeux et pour alimenter

la réflexion, le marquis disposa çà et là de petits édifices appelés « fabriques ». Beaucoup subsistent aujourd'hui et alimentent une rêverie chère à Rousseau, précurseur du romantisme : **le Temple de la Philosophie, la Grotte des Naïades...** Ces jardins accueillirent Rousseau en 1778. Selon la légende, à son arrivée, il se mit à embrasser les arbres en sanglotant : « *il y a tellement longtemps que je ne vis pas un arbre qui ne fut recouvert de poussière* ».

Il mourut à Ermenonville et fut inhumé au cœur du parc, dans l'île des Peupliers où son tombeau est toujours visible.

Si les restes du philosophe furent transférés au Panthéon dès 1794, le parc devint au XIXᵉ siècle, le lieu culte du romantisme et de la mémoire de Jean-Jacques Rousseau.

-VT-

Terre d'écrivains

Étang de la Loge, au fond le château de la Reine Blanche. -GG-

Parc romantique du domaine de l'abbaye de Chaalis. -VT-

Au XIXᵉ siècle, le domaine de l'abbaye de Chaalis devient un lieu de promenade pour **Gérard de Nerval**. C'est un fait, le parc et les ruines de l'église abbatiale ont indéniablement un caractère romantique. Quand il écrit sa plus célèbre nouvelle, *Sylvie*, il y ajoute le sous-titre *Souvenirs du Valois*. Dans ce récit, l'auteur se rappelle sa jeunesse dans la campagne du Valois. Chaalis y est évoqué comme « une vieille retraite d'empereurs » qui a « quelque chose de galant et de poétique ».

Racontant un rêve, de Nerval se voit dans l'*Embarquement pour Cythère* de Watteau, peint d'après un paysage d'étang du coin. Au château de Valgenceuse, la marquise de Giac, amie d'enfance de Gérard de Nerval, anime un salon littéraire. Gérard y retrouve les **Dumas père et fils** ainsi qu'**Alfred de Vigny** qui écrit « *Valgenceuse (...) Dédale sinueux d'amour et de mystère (...)* ».

Chateaubriand

Lui aussi séjournera à plusieurs reprises dans les châteaux du Parc. En 1802, à Épinay-Champlâtreux et Luzarches. En 1818, il est chez madame de Récamier à Chantilly. Il y retourne en 1837 et 1838 pour rédiger le livre III de la seconde partie de ses mémoires...« *J'aurai trouvé des mystères de la vie dans le ruisseau de la Thève : il déroule son cours parmi les prêles et les mousses, des roseaux le voilent, il meurt dans les étangs de Comelles qu'alimente sa jeunesse, sans cesse expirante, sans cesse renouvelée* ».
Chateaubriand
Mémoires d'outre tombe

Château de Valgenceuse. -PRN OPF-

Traditions et patrimoine

Façade typique à Senlis. -VT-

I ci, la tradition se décline sur plusieurs thèmes. Dans l'architecture et son savoir-faire remarquable mais aussi dans les jardins et les parcs, dans l'art culinaire et dans d'autres activités ancestrales comme le jeu d'arc ou plus récemment l'hippisme.

La tradition des bâtisseurs

Les maisons, tournées vers l'intérieur plutôt que sur la rue, sont généralement construites en moëllons extraits des carrières environnantes et leurs toits sont faits de tuiles plates brun-orangé.

Les vieux colombiers

Le droit seigneurial d'avoir un colombier était reconnu « à tout seigneur ayant fief, censive et domaine de cinquante arpents de terres » (soit 20 ha). Ils sont encore nombreux dans le parc : pigeonnier rond à la toiture en poivrière (ferme du prieuré à Borest), de plan hexagonal (château de Roberval), sur porche (ferme de Balagny)...

La chasse à courre

Également appelée vénerie, c'est un mode de chasse ancestral. Il consiste à traquer des animaux sauvages jusqu'à ce que les chiens « courants », et eux seuls, les neutralisent. La forêt de Chantilly fut un haut lieu de vénerie. Ses routes et ses carrefours en étoile, conçus par Le Nôtre à partir de 1669 avaient pour but de faciliter le déroulement de la chasse, tout comme ces panneaux d'orientation à l'écriture originale ; les Grandes Ecuries abritaient chevaux et meutes ; les « rendez-vous de chasse » sont toujours présents. Chaque année, entre octobre et mars, la tradition se perpétue. Des chasses à courre se déroulent sur les anciennes terres des Montmorency, des Condés et du duc d'Aumale. Le Rallye Trois Forêts (en tenue bleue) court le cerf tandis que le Rallye Pic'Hardy Chantilly (en tenue verte) court le chevreuil.

Le jeu d'arc

-PNR Oise - Pays de France-

Héritière des milices d'archers créées par Philippe Auguste vers 1189, les compagnies d'arc témoignent d'une tradition séculaire encore très vivante sur le territoire du Parc. Plusieurs compétitions rythment l'année : l'**Abat l'oiseau** permet de désigner le Roy d'une compagnie pour un an ; la **Fleur cantonale** rassemble les 13 compagnies du canton ; quant au **Bouquet provincial** c'est le grand rassemblement printanier de toutes les compagnies du nord de la France.

D'authentiques fermes

La ferme Darras. -PNR Oise - Pays de France-

Dans ces vastes territoires agricoles, les fermes se dressent, isolées ou au cœur des villages. Elles marquent l'architecture locale. Dès le Moyen Âge, les fermes ont adopté une structure à cour fermée. Les bâtiments doivent pouvoir tout abriter : fermier et personnel, bétail et récoltes mais aussi jardin et potager. Un mur de pierre ferme les espaces entre chaque bâtiment. Il fallait bien les protéger contre le vol, les pillages… pour les plus importantes, l'enceinte peut entourer un ensemble dont la superficie dépasse 4 ha ! Petites ou grandes, on retrouve les mêmes éléments architecturaux.

• La porte charretière est généralement l'unique entrée. Assez large et haute pour laisser passer les attelages, les charrettes, elles peuvent présenter des marques à leurs pieds pour guider les cochers et dévier les roues si nécessaire.

• Le corps d'habitation abrite le fermier et sa famille. Les servantes y dorment dans une petite chambrette ou dans le fournil.

• L'écurie tient la première place dans l'exploitation car sans chevaux, pas de travaux agricoles ni de transport. C'est aussi là que dorment les charretiers et les garçons de ferme, séparés des chevaux par une cloison ou bien dans de châlits scellés au mur comme on peut encore le voir au château de Mareil-en-France.

• Les différentes étables abritaient vaches, moutons et cochons. Les élevages bovins et porcins étaient très importants jusqu'au XVIIe siècle, les premiers pour le lait, les seconds pour la viande. Les ovins étaient parqués dans les chaumes, les jachères. Les déjections de ces élevages constituaient un engrais appréciable.

• Les granges abritaient les récoltes et une aire de battage. Les granges dîmières, comme à Fourcheret et Hérivaux sont impressionnantes. Elles abritaient le produit de la dîme, impôt que payaient en nature les paysans à l'église.

Grange dîmière à Beaulieu-le-Vieux. -NI-

L'agriculture aujourd'hui

Paysages agricoles. -NI-

Avec plus de 20 000 ha, la surface agricole utile (SAU) représente un tiers de la superficie du Parc. Si les grandes cultures dominent, les activités spécialisées subsistent, porteuses d'un savoir-faire et d'une identité que le Parc souhaite préserver.

Les grandes cultures

Le Parc naturel régional Oise - Pays de France compte plus de 200 exploitations agricoles, soit 2,8 % de la population active. Les plus importantes sont situées sur le plateau du Valois et dans la plaine de France. Elles sont spécialisées dans les cultures céréalières, oléo-protéagineuses (colza...) et industrielles (pommes de terre, betteraves sucrières...). Cette agriculture moderne, dominée par les céréales, occupe 80 % de la SAU. Certaines grandes exploitations s'étendent sur plus de 200 ha.

Les activités spécialisées

Bien que minoritaires et parfois menacées, les activités spécialisées représentent non seulement un savoir-faire traditionnel mais aussi un gage de biodiversité. Parmi ces activités, on trouve l'horticulture (78 ha) constituée de vergers divers : pommiers, poiriers, petits fruits mais aussi prunes ou abricots. Le maraîchage ne représente qu'une quarantaine d'hectares. Les élevages (hors chevaux) sont peu importants mais diversifiés. Élevages bovins, ovins ou de volailles sont soutenus par les collectivités locales. Certaines cultures historiques disparaissent. Il y a dix ans, la production de champignons qui s'était développée dans les anciennes carrières autour de Senlis et Chantilly comptait encore huit champignonnières qui employaient 180 personnes, il n'en reste plus aujourd'hui. Apparue en 1811, la cressiculture était une véritable tradition. Il ne reste plus qu'un site de production, dans la vallée de la Nonette, près de Baron.

Agriculture et biodiversité

Afin d'entretenir la biodiversité le Parc et ses partenaires encouragent les agriculteurs à développer des pratiques culturales favorables : prairie humide où cohabitent élevage et flore, plantation de haies dans les palines, jachère fleurie ou encore maintien de bandes enherbées aux bords des cours d'eau.

Le miel de tilleul

Chaque année à la floraison des tilleuls, des apiculteurs professionnels apportent leurs ruches dans les forêts du Parc afin de bénéficier des saveurs et de la qualité exceptionnelles de cette essence sauvage.

24

Au royaume du cheval

*D*es sols sableux adaptés à la pratique de l'équitation, une tradition de chasse à courre et des activités hippiques de renommées mondiales… ici, le cheval est roi !

Plus de 2 500 chevaux

C'est au duc d'Aumale que l'on doit l'implantation du hippisme à Chantilly. Aujourd'hui, avec plus de 2 500 chevaux, pour la majorité des purs-sangs, la ville et ses environs sont devenus le plus grand centre d'entraînement de galopeurs en France et en Europe. Les installations hippiques comprennent entre autres un hippodrome et cinq terrains d'entraînement, sur plus de 400 hectares. Les communes voisines accueillent de nombreuses écuries. Quant aux grandes écuries de Chantilly, elles sont incontournables pour tout amoureux du cheval.

Le prix de Diane

*L*e Prix de Diane, dont la première course remonte à 1843, oppose au mois de juin les meilleures pouliches de trois ans sur une piste de 2 100 m de l'hippodrome de Chantilly. Ce rendez-vous couru est au moins aussi renommé pour son concours d'élégance en chapeaux haute couture et son atmosphère chic. 30 000 personnes, et pas que des nantis, assistent à cette fête ostensiblement mondaine où déjeuner sur l'herbe, avec une flûte de champagne et des couverts d'argent, ne s'embarrasse pas de pique-niques voisins où l'on se salit, un peu, le bout des doigts. Chacun dans son assiette, comme les jockeys.

La course se déroule avec pour toile de fond les grandes écuries qui donnent sur la pelouse de l'hippodrome.

À VOIR :
Hippodrome de Chantilly :
03 44 62 44 00

Musée du Cheval -
Grandes Écuries : 03 44 27 31 80
domainedechantilly.com

Les élégantes regardant la cavalcade des chevaux passant devant les grandes écuries. -DG-

L'attractivité du territoire

Château-Hôtel de Mont-Royal à Chantilly. -PNR Oise - Pays de France-

Entre tourisme de loisirs et tourisme d'affaires

Le Parc s'appuie sur ces atouts naturels et son patrimoine culturel et historique pour attirer les visiteurs venus de tous les horizons : à 2 heures du nord de la France, à 2 h 30 de Bruxelles, à 4 heures de l'Angleterre et de l'Allemagne : 30 % de la fréquentation est étrangère. La « zone de chalandise », c'est-à-dire le périmètre à moins d'une heure en voiture, représente plus de 7 millions de personnes ! Les voies de communication, autour d'un axe nord/sud fortement marqué, sont multiples : l'axe A 1 attire de nombreux Belges, l'aéroport de Roissy est une plate-forme multimodale associée au TGV et à l'autoroute, permettant ainsi des échanges et des flux de voyageurs internationaux.

C'est dans ce contexte que se développe un très important tourisme d'affaires auquel le territoire du Parc est directement associé. Un exemple : l'abbaye de Royaumont propose l'organisation de séminaires d'affaires dans ces somptueux murs. Mais il existe bien d'autres lieux de prestige pour accueillir dans des lieux exceptionnels les entreprises et les professionnels venant de tous horizons *(photos)*. Ce tourisme d'affaires génère l'essentiel des retombées économiques et des emplois du tourisme sur le territoire et nombre d'établissements se sont spécialisés sur ce segment de clientèle « tourisme d'affaires ».

Château de La Tour à Gouvieux. -PNR Oise - Pays de France-

L'offre d'hébergement

35 hôtels sont recensés sur le territoire pour un total d'environ 1 800 chambres.
Plus de la moitié sont classés deux et trois étoiles. 4 hôtels sont classés quatre étoiles, ils représentent 25 % des chambres classées.
Le tout représente, bon an mal an, 450 000 nuitées, pour la grande majorité en tourisme d'affaires.

LES BALADES

Randonnée familiale. -NI-

Église Saint-Étienne dans le vieux Fosses. -GG-

AU FIL DU PARCOURS

D₁ Dos à la gare, partir à droite en longeant les immeubles. Traverser le carrefour et se diriger vers le panneau « Parc naturel régional Oise-Pays de France ». Continuer sur l'avenue le long de l'alignement d'arbre. Après 200 m, traverser l'avenue sur le passage piéton qui précède le virage. Traverser la rue qui part en face et prendre l'allée qui passe au pied, côté gauche, du château d'eau. Au bout de l'allée, traverser le parking en prenant à droite, puis à gauche.

D₂ À l'angle des terrains de foot.

1 Arrivé au bout des grillages, tourner à gauche et descendre. En arrivant sur la route, aller à droite (marques jaunes et rouges), traverser au passage piéton. Continuer dans la « Grande rue », passer devant l'église Saint-Étienne et au feu prendre à gauche la rue de la Source.

2 À la sortie du virage, aller à droite (panneau randonnée du Val d'Oise) et monter en sous-bois.
Suivre les marques jaunes et rouges. Au croisement suivant, prendre à gauche et partir sur le chemin à travers champs.

3 Au carrefour en croix (après la petite haie), aller à droite et descendre vers le bois.

4 À la fourche après les bois aller à droite et descendre. Arrivé au hameau de Bellefontaine, s'engager en face dans la rue de la Source (à découvrir à gauche).

5 Au carrefour suivant aller en face, entrer dans le hameau. À la placette de l'abri, aller à droite, continuer dans la rue, traverser le petit pont et continuer tout droit. Au prochain carrefour aller à droite, traverser la rue et prendre le large chemin (parking) qui part à gauche.

6 Continuer vers le fond et monter en face à gauche. Sur la petite route poursuivre en face. Au carrefour en croix, monter tout droit.

7 Continuer sur le chemin à travers champs, au carrefour aller à droite vers le château d'eau. De retour au parking des terrains de foot reprendre l'itinéraire vers la gare.

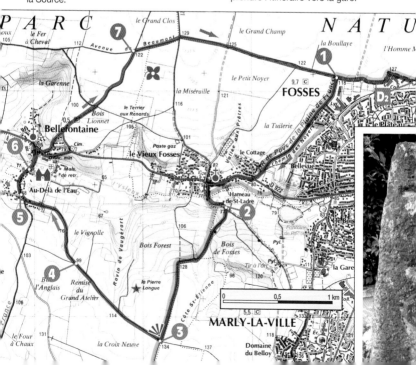

vallée de l'Ysieux

1

FOSSES | BELLEFONTAINE

Le vieux Fosses est niché au fond d'un vallon creusé par la rivière Ysieux. Celle-ci fut aménagée par les moines des abbayes d'Hérivaux et de Royaumont pour amener l'eau domestique et récupérer de l'énergie. Une eau omniprésente sur cet itinéraire : une source, un lavoir, un étang et la rivière Ysieux baignent les villages.

Tradition potière

Les Fossatussiens ont longtemps été de fameux potiers. Le nom de la ville proviendrait de fosses creusées pour extraire l'argile nécessaire à la fabrication des poteries. Cet artisanat évoluera progressivement en véritable industrie locale. L'apogée de la production a eu lieu du milieu du XIIe au début du XIIIe siècle. Elle se caractérise par une parfaite maîtrise technique et une recherche artistique. Des céramiques glaçurées de belle qualité furent ainsi commercialisées à Senlis, Pontoise et

Paris. L'activité spécifiquement potière s'est maintenue dans le village de Fosses jusqu'au milieu du XVIIe siècle. Pour mettre en valeur cette riche histoire, « le musée Archéa – archéologie en Pays de France » a ouvert dans la ville voisine de Louvres.

Balisage jaune
Codérando 95

Départ 1 : 3 h 30
12,5 km

Départ 2 : 3 h 00
10,5 km

ACCÈS AU DÉPART
RER D gare de Fosses

D₁ À partir de la gare de Fosses.

D₂ À partir du parking des terrains de foot (château d'eau).

INTÉRÊTS

✝ Église de Fosses

★ Vallée de l'Ysieux

🏰 Château de Bellefontaine

De gauche à droite :
Borne armoriée à Bellefontaine. -GG-
Lavoir à Bellefontaine. -GG-

De hameaux

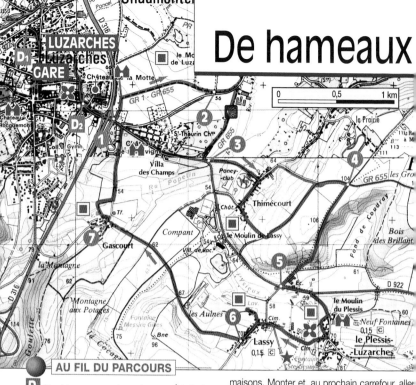

AU FIL DU PARCOURS

D₁ Dos à la gare, prendre en face rue Éric Satie, en bas traverser au rond-point et prendre le chemin dallé en restant à droite. Prendre à droite la rue Honoré de Balzac et entrer dans le **jardin botanique**. À l'intérieur prendre le chemin dallé de brique à gauche (2 fois) et en sortant aller à droite. Traverser l'Av. du Pays de France, aller à droite et longer la clôture et le grand portail (**château de la Motte, maison du tourisme**) pour rejoindre à droite la rue Abbé Soret. Au stop prendre à gauche la rue St-Damien. Dépasser l'église.

D₂ Au parking du cimetière.

1 Sortir du village, traverser le pont sur la nationale, au rond-point prendre le chemin qui part à gauche (**marques GR blanches et rouges**) (**vue sur l'église**). Au 1ᵉʳ carrefour, emprunter le sentier de droite, continuer à travers champs.

2 En arrivant sur la petite route, la prendre en face sur 100 m. Aux maisons prendre à droite (GR 655), longer le bois.

3 En bas du chemin creux, aller à gauche et au carrefour au niveau de la route encore à gauche. Après avoir traversé l'Ysieux, arriver au hameau de Thimècourt, longer le poney club et prendre la rue à droite. Au stop aller à gauche et dans le tournant prendre le sentier marqué en jaune qui part sur le trottoir de gauche entre deux

maisons. Monter et, au prochain carrefour, aller tout droit puis à gauche dans le chemin creux (marque jaune). En arrivant au champ tourner à gauche pour le longer. Après la haie, au carrefour, aller à droite (marque GR).

4 Au prochain croisement s'engager sur le chemin de droite qui longe la haie.

5 En bas de la côte, au rond-point, traverser la départementale au passage piéton et à gauche sur le trottoir pendant 100 m. Puis à droite vers Le Plessis-Luzarches. Dans le village aller à droite rue de l'Abreuvoir, pour trouver le **lavoir** au fond de la rue (après la barrière en bois). Puis monter la rue de la Fontaine au Coq. Place des Tilleuls prendre à droite. Arrivé à Lassy, passer devant l'église par la Grand Rue. En prenant par la ruelle du Lavoir à droite au niveau du tournant, vous pouvez découvrir un **nouveau lavoir**, à 150 m. Revenir sur vos pas et finir de traverser le village.

6 Avant de sortir prendre la petite rue à droite (grille métallique blanche) n° 41. puis continuer sur le chemin pendant 1 km. Au carrefour, continuer tout droit.

7 À Gascourt, aller à gauche sur la petite route et prendre à droite le sentier qui passe entre deux maisons pour trouver le **lavoir**. Le longer et suivre les marques jaunes dans le bois. Arrivé à la petite route, aller à gauche et au croisement, encore à gauche pour retrouver le cimetière et Luzarches.

2

*P*ointant vers le ciel son haut clocher
carré l'église Saint-Côme-et-Saint-Damien
veille sur les âmes des villageois depuis le
haut Moyen Âge. D'un beau style roman,
le chœur et la base témoignent de la
reconstruction de l'édifice primitif. Mais
c'est surtout sa façade qui est remarquable,
par ses riches décors sculptés parachevée en
1548.

Luzarches

Luzarches possède encore en son cœur une rare halle
en bois, mentionnée dès le XIVᵉ siècle et reconstruite
en 1740. Sous ses pattes de bois arachnéennes,
protégées de l'humidité par de gros sabots de pierre
et par sa couverture de tuiles, se déroulent toujours
de nos jours un marché hebdomadaire et les diverses
festivités luzarchoises.

Relais idéalement placé sur la voie Paris-Amiens,
Luzarches a de tous temps accueilli les voyageurs :
on comptait déjà 16 auberges et hôtelleries au XVIIᵉ s.
C'est donc tout naturellement que des Parisiens
fortunés y ont bâti au XIXᵉ siècle leurs villégiatures,
goûtant la douceur des lieux et bénéficiant de l'arrivée
pratique du chemin de fer en 1880. À leur suite ont
été aménagés des restaurants, rendez-vous de chasse,
guinguettes, dont les éclats de rires et de musique se
sont depuis évanouis dans l'air du temps (moulin de
Lassy et villa des champs, …)

Balisage jaune
Codérando 95

**Départ 1 : 2 h 30
11 km**

**Départ 2 : 1 h 45
9 km**

ATTENTION : ce circuit
est boueux par temps
humide.

ACCÈS AU DÉPART

Ligne SNCF Gare du Nord-
Luzarches.

D₁ À partir de la gare de
Luzarches.

D₂ À partir du cimetière de
Luzarches.

INTÉRÊTS

✝ Église Saint-Côme-et-
Saint-Damien a été reconstruite au XVIᵉ s. et au XIXᵉ s, les
parties les plus anciennes
l'ont été aux XIᵉ et XIIᵉ s.

▣ Lavoirs couverts

❧ Milieux humides

*Église Saint-Côme-et-Saint-Damien
à Luzarches. -VT-*

...our de marché sous la halle de Luzarches. -VT-

Château d'Hérivaux. -GG-

Dans la forêt

2e sentier à droite (marques blanches) à 10 m sur la droite vous trouverez les **2 arbres enlacés (hêtre et chêne)**. Revenir sur vos pas et repartir sur l'itinéraire.

3 Au carrefour suivant, à gauche vers la marque jaune. Passer une barrière et continuer tout droit en longeant le grillage. Arrivé à la fin de la forêt, continuer tout droit en longeant le champ. Après le hangar agricole prendre la descente à droite et longer le bois puis le mur. Descendre vers le **château**.

4 Prendre à gauche la route qui longe le mur de la ferme. Continuer la petite route qui se transforme en piste et traverse le hameau de La biche. Au bout de la clôture avant le champ (parking) aller à droite et prendre le chemin pavé marqué **GR (blanc et rouge)**. Au 1er carrefour en croix prendre le chemin GR à droite (entre les mares). Monter tout droit puis prendre le 2ème sentier qui part à gauche jusqu'au **Poteau d'Hérivaux (parcelle 465)**. Prendre « Rte de la Verrerie, vers Croix des Moines ».

5 Au carrefour suivant en étoile (Croix des moines, parcelle 460) prendre en face à droite, longer la parcelle 492 (à droite) et tout droit jusqu'au **Poteau Nibert**. Au carrefour prendre le 2ème chemin à gauche indiqué « Rte de la Grange au bois, vers Orry-la-Ville ». Au carrefour suivant continuer en face, tout droit jusqu'à la **maison du Parc**.

AU FIL DU PARCOURS

D En venant de la maison du Parc, dos au village d'Orry-la-Ville, après la passerelle sur la voie ferrée, prendre le chemin en face (au milieu). Puis à gauche, continuer tout droit (passer les arbres tombés avec les tempêtes).

1 Au 1er poteau **(poteau Nibert)** suivre la direction « **Route des Granges au bois, vers Hérivaux** ».

2 Au prochain carrefour **(Croix de la Grange aux bois, parcelle 535)**, tourner à droite. Après une parcelle coupée, prendre le

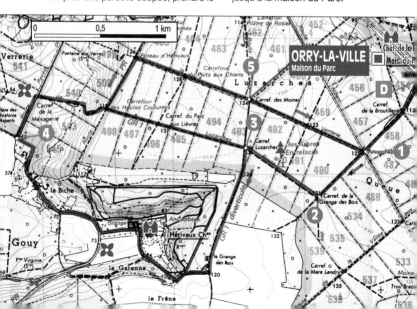

des Moines

3

ORRY-LA-VILLE | HÉRIVAUX |

Au départ de la maison du Parc, ce circuit évolue à l'ombre d'une forêt riche en essences et l'on ne manquera pas de découvrir les arbres entrelacés près le point 2 de l'itinéraire, ainsi que l'abbaye d'Hérivaux.

Les essences de la forêt

Essence d'ombre, le **hêtre** produit un feuillage dense qui assure des sous-bois très dégagés. Il est sensible aux grands froids et aux fortes chaleurs. Ses racines superficielles le rendent vulnérable aux tempêtes. Le **chêne sessile** est un arbre de la famille des *Fagacées* (châtaignier, chêne, hêtre). Il est rustique et tolérant et peut être planté en futaie dense tout en faisant du bois de haute qualité. Il supporte des conditions contraignantes : des sols acides, peu profonds et secs. La légende veut que le chêne soit rarement touché par la foudre, il était donc, associé à Zeus, dieu du tonnerre dans la mythologie grecque.

Les arbres entrelacés *(photo à droite)* sont un **chêne** et un **hêtre**. Les **noisetiers** fleurissent de janvier à mars. Ce sont les arbres de la forêt dont la floraison est la plus précoce ; parfois, elle survient dès décembre. Avec leurs branches étaient réalisées les baguettes de coudrier utilisées par les sourciers.

Les **tilleuls** sont des essences de lumière ou demi-ombre et supportent le froid jusqu'à -23° C. La religion chrétienne accorde au tilleul un caractère sacré, dû à l'odeur de ses fleurs. On en plantait près des églises au Moyen Âge. Ici c'est le tilleul à petites feuilles qui peuple les forêts et dont les abeilles font un miel réputé.

Arbres entrelacés. -PNR Oise - Pays de France-

3

Balisage jaune
Codérando 95

2 h 30
9 km

ACCÈS AU DÉPART

RER D, gare de la Borne-Blanche.
À partir de la maison du Parc naturel régional Oise - Pays de France.

INTÉRÊTS

★ Château de la Borne Blanche • Maison du PNR Oise - Pays de France • arbres entrelacés

🌲 Château d'Hérivaux

Flore de zone humide

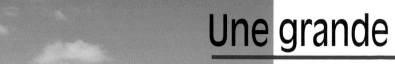

Une grande

Tour en ruines de Montépilloy. -VT-

suivant les **marques blanches**
rouges (marques GR). Conti
nuer en descendant (**vue su**
le clocher de la cathédrale d
Senlis).

1 Arrivé à la petite route
prendre à gauche vers le ha
meau de Foucheret.

2 Au carrefour prendre à
droite et au niveau du pannea
d'arrêt de bus entrer dans l
hameau à gauche et prendr
le chemin agricole qui long
les peupliers. Continuer sur l
chemin à travers champs.

3 Au premier carrefou
prendre à gauche sur la piste
Au carrefour suivant, re
prendre à gauche puis à droit
et monter vers le bois. Traver
ser le bois et continuer vers l
hameau de Beaulieu le vieux.

AU FIL DU PARCOURS

D En tournant le dos au cimetière, prendre
à gauche, traverser la route d'arrivée au village et prendre le chemin qui part en face en

4 Devant le hameau, suivre à gauche le
maisons et repartir vers la gauche sur le che
min à travers champs et bosquets. Continue
vers le **village de Montépilloy et sa tour e**
ruines.

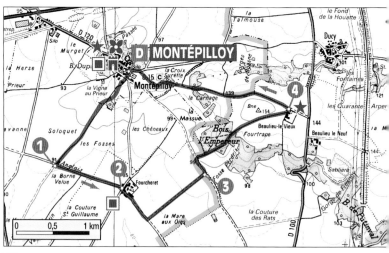

échappée

MONTÉPILLOY ▮ FOURCHERET ▮

C'est un paysage millénaire (plus ancien que les paysages forestiers alentours) que vous traverserez. Avant l'arrivée des Romains, les Sulbanectes y cultivaient déjà des céréales. Aujourd'hui la betterave sucrière diversifie les cultures.

Beaulieu-le-Vieux

Belvédère juché sur la crête de la montagne de Rosière, posé sur le flot ondulé des blés, ce vaste ensemble est une ancienne ferme du XVIᵉ siècle, comportant tous les éléments d'une vie autarcique et solitaire : un manoir avec sa chapelle privative, une vaste grange pour conserver les récoltes (classée Monument historique), des habitations pour les manouvriers, un pigeonnier-porche, un potager clos de hauts murs et un profond puits.

Montépilloy

Les romains nommèrent ce site stratégique *Mons Expellericus* pour ses qualités de guet. Sentinelle déchue, le formidable donjon de Montépilloy (45 m de haut), bâti au XIIᵉ siècle, domine toute la plaine du Valois et se souvient encore de sa gloire passée, lorsque Jeanne d'Arc, de retour du couronnement de Charles VII à Reims, battit les Anglais sous ses murs en 1429.

Église de Montépilloy. À droite : plaque commémorative du passage de Jeanne d'Arc à Montépilloy en 1429. -VT-

Balisage jaune
(CDRP 60)

2 h 15

9,5 km

ACCÈS AU DÉPART

Parking du cimetière de Montépilloy.

INTÉRÊTS

♠ ★ 🏛 ✂ Montépilloy : donjon (XIIᵉ s.) • Mare abreuvoir • Église

🖼 Fourcheret : grange dîmière céréalière

♿🖼 Beaulieu-le-Vieux : ferme (XVIᵉ s.) • Manoir avec chapelle • Grange MH • Pigeonnier-porche • Petit patrimoine

🖼 Polissoir

POTEAU DE LA
BELLE-CROIX
D₂

0   0,5   1 km

AUMONT-EN-
HALATTE
D₁

---

4 Au croisement suivant, prendre à droite e
monter par le GR (marques GR® blanches e
rouges).

5 Au carrefour continuer tout droit (268) (o
prendre à gauche pour le **parking de la Bell**
Croix).

D₂ À partir du parking du Poteau de la Bell
Croix, prendre le chemin empierré (GR) qu
part après la barrière (direction Rte de l'arbre
Fougère, vers **mare du mont Alta**) et arrivé à l
parcelle 268 prendre à gauche et rejoindre l
point 5.

6 Au carrefour, prendre à droite (sans des
cendre). Au niveau du tournant vers la gauche
on trouve deux autres bornes à droite.

7 Au carrefour continuer sur la gauche su
la piste empierrée. Au prochain croisemen
continuer sur la piste à droite. Aller tout dro
sur la piste (au milieu de la ligne droite, un
borne en sous-bois, sur la droite, sous u
grand hêtre).

1 Au carrefour soit, aller tout droit en des
cendant pour retrouver le parking d'Aumor
en Halatte, soit, aller à droite pour continuer l
circuit vers le **parking de la belle Croix** jusqu'
5 repérer les marques jaunes.

Église Saint-Gervais-et-Protais d'Aumont-en-Halatte. -

AU FIL DU PARCOURS

D₁ À partir du parking d'Aumont, prendre le
chemin qui part de la barrière au fond du parking et continuer tout droit en longeant la parcelle 306. Au carrefour, tourner à droite (à
l'angle de la parcelle 274) et monter.

1 En haut, s'engager sur le 2ᵉ sentier à
gauche (273).

2 À la fourche, prendre à droite (272). Après
la première borne en pierre, continuer tout
droit et au carrefour suivant partir à gauche.

3 Au carrefour, tourner à droite en restant en
hauteur. Continuer tout droit en corniche. Au
carrefour en croix, aller tout droit sur la route
tournante.

Sur le mont Alta

5

Itinéraire jalonné de bornes armoriées : ces pierres taillées vieilles de plus de 5 siècles pour délimiter les propriétés, portent le blason de la famille royale sur une face, et celle de l'autre propriétaire au verso.

La forêt d'Halatte

Ainsi que les autres forêts, a toujours été administrée et contrôlée par les pouvoirs en place. Au temps des rois carolingiens, les administrateurs étaient des officiers royaux appelés *« forestii »* ; à l'époque des capétiens et jusqu'au XIVe siècle, ce sont les *« gruyers »* qui prélevaient fréquemment, en plus des taxes officielles, une part personnelle sur les transactions forestières.
Sous Louis XIV, Colbert est chargé de réformer l'administration de la forêt française : 16 « Grands Maîtres » assurent la gestion des domaines royaux. À la Révolution, les forêts royales deviennent biens nationaux. La forêt d'Halatte devient une forêt domaniale régie par la nouvelle administration des Eaux et Forêts. Après une période de dégradation des ressources, ce n'est qu'en 1867, pour faire face à la demande industrielle et particulièrement au développement des chemins de fer, qu'un premier plan d'aménagement à long terme est adopté.
Aujourd'hui, l'exploitation forestière est très rationalisée. Pour la forêt d'Halatte, c'est l'ONF qui gère. Dans la zone du mont Alta, les peuplements sont en taillis sous futaie.

Balisage jaune
CDRP 60

Départ 1 : 2 h 00
6,2 km

Départ 2 : 2 h 30
7,9 km

ACCÈS AU DÉPART

Accès par la RN 330 ou N 17.

D₁ À partir du parking de l'ONF à Aumont-en-Halatte.

D₂ À partir du parking du Poteau de la Belle-Croix.

INTÉRÊTS

🌲 Forêt d'Halatte

▣ Bornes armoriées

⚒ ❀ Carrières de sable • Flore particulière

Chêne remarquable dans la forêt d'Halatte. -VT-

37

Baligants en

AU FIL DU PARCOURS

Château de Boran-sur-Oise. -VT

D En partant de la gare, aller vers le passage à niveau et tourner à droite pour descendre vers la rivière et prendre l'allée de tilleuls.

1 Arrivé au bord de **l'Oise**, aller à droite.

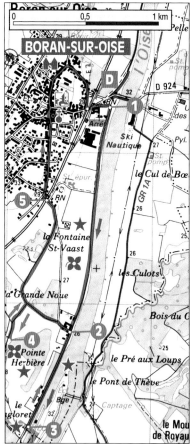

Continuer sur le chemin de halage, passe une première barrière puis une seconde.

2 Arrivé au hameau, continuer le long de la rivière jusqu'à l'écluse.

3 Revenir sur vos pas et au niveau du ha meau tourner à gauche sur la petite route. À la sortie du hameau, prendre le chemin qui part au niveau des barrières de bois. Longe le petit bois.

4 Au carrefour, aller à gauche puis encor à gauche au niveau de la chaîne. Vous décou vrirez des **étangs** en allant derrière la chaîn de gauche. Revenir vers la première chaîn puis vers le carrefour du petit bois et prendr à gauche le chemin à travers champs. Sur la route aller à gauche vers le passage à niveau

5 Traverser la voie ferrée, entrer dans le vil lage et remonter vers l'**église** par la rue de La Comte. Après l'église, continuer en face (2 à droite) dans la rue du Château, et prendr la rue qui descend à droite (rue du Pilori) Retourner ainsi au parking de la gare.

Boran-sur-Oise est reliée par voie navigable à toute l'Europe du Nord et à Paris. L'itinéraire longe les berges de l'Oise parsemées d'étangs (anciennes sablières transformées), riches en faune et flore spécifiques des milieux aquatiques.

Boran : le village, le clocher et le château

Ce site bucolique devint un rendez-vous très couru après que fut aménagée, dans les années 1930, en bord de l'Oise, une plage, *« ensemble nautique dédié au plaisir et à la détente »*. Ce lieu, fréquenté en particulier grâce aux congés payés, vit de nombreuses animations s'y dérouler (matchs de boxe, concerts de jazz, …). Arborant fièrement une dentelure de gargouilles grimaçantes, la flèche du **clocher** marque le cœur du village. Sur sa façade, un ours sculpté rappelle par ailleurs un des miracles de saint Vaast. L'**église** présente enfin une rareté : la petite tourelle adossée à droite de la porte, surmontée d'un clocheton pyramidal, serait en effet une *« lanterne des morts »* dans laquelle au crépuscule, on hissait une lampe allumée, supposée servir de guide aux défunts. Protégé par un massif mais élégant porche classique, le **château** *(photo à gauche)* se dévoile au promeneur qui s'approche de cette sévère entrée. Classé Monument Historique, il a été édifié au XVIIIe siècle, puis fortement remanié dans les années 1850 (propriété privée, il ne se visite pas).

Aucun balisage

1 h 30
5,5 km

ACCÈS AU DÉPART

Ligne SNCF Pontoise-Creil.

INTÉRÊTS

Boran-sur-Oise : Château MH • Église avec clocheton (lanterne des morts)

★ Berges de l'Oise • Étangs

Pont de l'Oise à Boran-sur-Oise récemment restauré. -VT-

La forêt des étangs

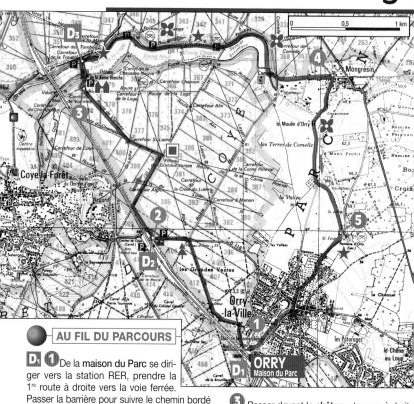

AU FIL DU PARCOURS

D₁ **①** De la **maison du Parc** se diriger vers la station RER, prendre la 1ʳᵉ route à droite vers la voie ferrée. Passer la barrière pour suivre le chemin bordé de **marques blanches.** Au 1ᵉʳ carrefour, continuer tout droit et laisser la sente à droite. Au carrefour en croix, prendre à gauche et ne plus suivre les marques blanches. Continuer sur ce large chemin qui longe momentanément la voie ferrée. Laisser les sentes à droite et à gauche. Au carrefour du Poteau d'Orry, longer par la gauche la D118, en restant à l'abri des barrières de bois.

D₂ **②** À la **gare d'Orry-Coye** (en venant de la gare aller à gauche), traverser la route au niveau du panneau parking **(attention route passante)**. Puis prendre le chemin GR qui longe la voie ferrée puis au premier carrefour, prendre à droite jusqu'au poteau des Grandes Ventes. Prendre direction de « Rte de Champoleux, vers Croix St-Ladre » en suivant les marques blanches et rouges du GR, longer la parcelle 399 puis au niveau des clôtures de la parcelle en régénérescence prendre le 2ᵉ sentier à droite (marques GR). Continuer jusqu'au poteau de Viarmes, rejoindre le parking en contrebas puis l'**étang de la Loge** et le **château de la Reine Blanche.**

③ Passer devant le **château**, tourner à droite pour longer l'**étang de la Loge** et continuer le long des autres étangs en suivant les marques GR. À la fin du dernier étang **(étang de Comelles)** suivre les marques GR et monter sur la gauche. En arrivant sur la route prendre à droite puis à gauche puis à droite en direction de Montgrésin. Continuer dans le village sur la route Manon.

④ Après 600 m, prendre à droite la rue du Moulin vers Orry-la-Ville. Poursuivre sur cette route qui descend, longe les **cressonnières** puis remonte vers le cimetière. Le dépasser et prendre le chemin à gauche (clôture à main gauche). Descendre dans le vallon jusqu'au carrefour de l'ancien lavoir.

⑤ Prendre la route goudronnée à droite vers le village d'Orry-la-Ville. Dans le village, continuer dans la rue de Montgrésin. En haut de cette rue, prendre la direction de l'**église** (sens interdit). Contourner l'église et s'engager en face dans la rue d'Hérivaux. Monter cette rue et dépasser le château d'eau.

40

de Comelles

ORRY-LA-VILLE

Dans les forêts royales, aux principaux carrefours, les poteaux traditionnels indiquent le nom des routes forestières et leurs destinations. Ils ont été mis en place pour faciliter la chasse à courre et contribuent à l'élégance des cheminements.

Les étangs de Comelles

Ils ont été créés au cours du XIIIᵉ siècle par les moines de l'abbaye de Chaalis pour être utilisés comme viviers à poissons. Ils furent aménagés sur le cours de la Thève à l'endroit le plus resserré de la vallée, au cœur du massif forestier de Chantilly. L'eau qui alimentait plusieurs moulins, était canalisée par des bondes, des vannes et des conduites. En 1793, les villageois poussés par la disette pillèrent le dernier moulin et vidèrent les étangs pour récupérer les poissons. Très tôt, au bord de l'étang de la Loge, fut érigé un petit château pour loger des gardes. Au XVIIIᵉ siècle, le prince de Condé en fit un relais de chasse qui fut baptisé au XIVᵉ siècle *« château de la Reine Blanche »*. Dès le début de l'époque romantique, ce site très fréquenté par les artistes, inspira notamment Chateaubriand qui nous raconte : *« j'aurais trouvé des mystères de la vie dans le ruisseau de la Thève […], il meurt dans les étangs de Comelles qu'alimente sa jeunesse, sans cesse expirante, sans cesse renouvelée… ».* Avec l'arrivée du train, au XIVᵉ siècle, les pêcheurs prirent l'habitude de venir y remplir leurs musettes et les familles s'y détendre.

Château de la Reine Blanche. -GG-

Balisage :
blanc-rouge
sur la partie GR

Départ 1 : 4 h 00
12 km

Départ 2 : 4 h 00
12 km

Départ 3 : 4 h 00
12 km

Randonnée avec pique-nique

ACCÈS AU DÉPART

RER D, gare de la Borne-Blanche ou gare d'Orry-Coye (TER)

D₁ À partir de la maison du Parc à Orry-la-Ville

D₂ À partir de la gare d'Orry-Coye

D₃ À partir du parking des étangs de Cornelles.

INTÉRÊTS

▣ Poteaux traditionnels

★ 🔀 Étangs de Co-melles flore et faune spécificque • Cresson-nière

D₁ De la gare, prendre en face la rue de la Paix et continuer tout droit jusqu'au bord de l'Oise par la rue du Chancelier Guérin. Tourner à gauche, prendre le pont, traverser au passage piéton, puis aller à gauche le long de l'Oise. Traverser au passage piéton et prendre la rue saint Armand en tournant le dos à l'Oise. Puis aller à gauche vers l'abbaye de Moncel.

D₂ Arrivé à l'abbaye de Moncel, traverser la route et prendre la rue qui monte « Chaussée Pontpoint ».

1 Au croisement suivant aller à gauche rue de Crépy. Continuer tout droit puis prendre le chemin qui remonte en allant tout droit.

2 Arrivé à la route goudronnée partir à droite. Et continuer en montant dans le chemin.

3 Au poteau de Frapotel aller à droite sur la route goudronnée « Chaussée Pontpoint ». Après 150 m, prendre à droite le sentier qui part derrière une barrière de bois (marque (GR) et va en sous-bois. Continuer sur le chemin forestier (GR).

4 Au carrefour laisser le GR et aller à droite sur la piste forestière en laissant la parcelle 1? à droite. Passer devant la maison forestière e longer le champ. Passer derrière la barrière e prendre le sentier ne forêt.

(Pour aller vers le mont Calipet, au carrefou suivant aller à gauche et rester sur le sentie principal jusqu'aux ruines du moulin et au pelouses calcicoles plus loin. Revenir su vos pas pour retrouver le chemin qui redes cend vers l'abbaye en allant à gauche).

5 Continuer tout droit en descendant pou retrouver la rue de la Chaussée Pontpoint 1 Aller tout droit pour rejoindre l'abbaye.

Pour rejoindre la gare, partir à gauche vers le centre ville. Prendre tout droit la rue Henr Bodchon puis aller à droite par la rue Charles Lescot et rejoindre les bords de l'Oise. Aller vers le pont pour retourner vers la gare.

mont Calipet

| PONT-SAINTE-MAXENCE |

La visite de l'abbaye de Moncel vous permettra de découvrir de magnifiques témoignages de l'architecture gothique : cellier voûté de pierre, charpentes monumentales en chêne d'Halatte, cloître et chartrier.

Pont-Sainte-Maxence : ville fluviale

La ville est née de la rencontre de la route des Flandres (ancienne chaussée romaine) et de la rivière Oise. Le développement de la ville s'est d'abord basé sur le commerce et l'agriculture, puis la ville a vécu une ère industrielle importante. L'histoire de la commune s'est écrite autour de son pont. Une histoire marquée en temps de paix par des échanges culturels et commerciaux et en temps de guerre par la situation stratégique de la cité qui la place dans l'axe de déplacement naturel des forces combattantes vers Paris. Au cours des siècles, le pont fut, donc, âprement disputé, démoli et reconstruit plusieurs fois. Depuis le premier pont de 673, 4 ouvrages d'art, dont un portant 3 moulins et des commerces, et différents ponts temporaires ont été construits. Le pont actuel *(photo ci-dessous)* fut ouvert à la circulation en octobre 1949.

Balisage jaune
blanc-rouge
(CDRP 60)

**Départ 1 : 2 h 30
8,4 km**

**Départ 2 : 2 h 00
6,1 km**

● ▬ACCÈS AU DÉPART▬

Ligne SNCF Paris-Compiègne

D₁ À partir de la gare de Pont-Sainte-Maxence

D₂ À partir de l'abbaye de Moncel.

● ▬INTÉRÊTS▬

■ ★ Pont-Sainte-Maxence ville fluviale

⚱ Abbaye royale de Moncel

Par monts et par vaux

Étang de Toutevoie. -VT-

D₁ Gare de St-Leu

1 À la sortie de la gare de Saintt-Leu, prendre à gauche puis au carrefour à droite. Traverser l'Oise et à la sortie du pont, prendre le chemin à droite. Continuer en laissant le 1er chemin à gauche et suivre le chemin qui, plus loin, part à gauche. Partir à gauche au carrefour en T.

2 Continuer tout droit (église prieurale de Saint-Leu-d'Esserent sur l'autre rive de l'Oise). Au bout du chemin avant d'arriver à la route

3 Prendre la petite route à droite et monter. En haut de la côte continuer sur la route.

4 Au carrefour au milieu des champs (aller tout droit pour une variante en A/R (+1 km) pour découvrir les maisons troglodytiques*). Pour continuer la boucle de randonnée, aller à droite (à gauche en revenant de la variante) et continuer jusqu'à l'allée des noyers pour la prendre en partant vers la gauche. Au bout aller à droite et longer le champ. Prendre la descente, traverser la petite route et en bas, arriver sur l'avenue de Toutevoie.

D₂ Avenue de Toutevoie. Vers les étangs : aller à gauche puis à droite pour emprunter la passerelle sur la Nonette.

5 Aller tout droit, au bout du chemin, à la bar-

rière en bois, aller à droite puis à gauche pour longer le champ jusqu'à la barrière en métal. Partir à droite vers le parking en terre.

6 Longer l'étang et en faire le tour. Passe la barrière en métal et aller à droite pour longe le champ.

7 Aller à gauche pour prendre le chemin qu passe à travers champ. Longer la rivière La No nette pour rejoindre l'hôtel du Pavillon Saint Hubert. Prendre à droite pour longer le bord de l'Oise et à nouveau à droite pour rejoindre l'avenue de Toutevoie. On revient au point 5 Prendre à gauche le chemin de Trossy. (Pou retourner à Saint-Leu-d'Esserent, après 1 km, à allers à gauche puis à droite pour longer l'Oise vers le pont). Ou pour finir la boucle du Camp de César continuer tout droit pour rejoindre le point 3.

MAISONS TROGLODYTIQUES
A/R 20 mn - 1,1 km
À partir du point 4 : aller à droite vers les maisons et au bout du chemin prendre la rue vers la droite. Continuer sur la route et rester sur la droite pour prendre la rue en impasse où se trouvent les maisons troglodytiques puis retourner sur vos pas vers la boucle de randonnée.

hez les Godviciens 9

*Outre la visite des maisons troglodytiques
e circuit vous fera découvrir quelques
utres points forts : l'ancien oppidum du
amp de César, les carrières de calcaire
tilisé de nos jours pour la restauration des
Monuments historiques parisiens, l'église
rieurale de Saint-Leu où se mêlent art
othique et roman.*

Les maisons troglodytiques

Les hommes sont troglodytes quand ils habitent dans
des maisons troglodytiques *(ci-dessous)*, celles-ci
sont creusées dans le tendre des roches calcaires.
Aménagées, ici, depuis des temps immémoriaux,
elles ont longtemps abrité les familles des carriers
qui exploitaient les carrières toutes proches. Très
efficaces, ces habitations protègent leurs habitants de
la chaleur en été et du froid en hiver. Progressivement
abandonnées, certaines d'entre elles sont aujourd'hui
occupées tandis que d'autres ont été réaménagées
pour conserver les vins locaux. Ces « grottes » seraient
à l'origine du nom de Gouvieux.

Aucun balisage

Départ 1 : 3 h 00
11,5 km

Départ 2 : 2 h 35
9,5 km

ACCÈS AU DÉPART

Ligne SNCF Saint-Leu-
d'Eserent.

D₁ À partir de la gare de
Saint-Leu-d'Esserent.

D₂ À partir de l'avenue de
Toutevoie à Gouvieux ou
parking des étangs à Tou-
tevoie.

INTÉRÊTS

♙ ✗ ⁘ ⋒ Camp Cé-
sar

★ ▣ Maisons troglody-
tiques

✗ Carrières de calcaire

† Église prieurale de Saint-
Leu-d'Esserent.

*Église Sainte-Geneviève à Gouvieux,
clocher et façade occidentale. -VT-*

45

D   Dos au parking, monter vers la droite, prendre la rue à gauche et passer devant la mairie. Continuer à gauche et tourner à droite en traversant la rue vers l'école et l'**église**. Longer l'église et le **prieuré**, traverser la route et descendre la rue en face.

1 S'engager sur la rue pavée (rue du Moulin) à droite. Au bout prendre à droite le chemin balisé en jaune. Longer la haie et continuer en lisière de forêt pendant 700 m. Repérez la marque jaune sur le grand chêne et 50 m plus loin

2 Prendre à gauche un chemin qui part en épingle dans la forêt (parcelle 259).

3 Au poteau de la patte-d'oie dans la clairière, s'engager sur le 3e sentier qui part à droite (route tournante de Perthe, vers croisement du Regard - marque jaune-).

4 Au croisement laissez la piste forestière, et emprunter le sentier qui part à droite après la

Les pierres

Tombeau de J.-J. Rousseau sur l'île des Peupliers.
-PNR Oise - Pays de France-

piste. Continuer le chemin en corniche et a prochain carrefour continuer sur la droite pui encore à droite sans s'engager dans la des cente. Plus loin, à grand hêtre mort à droite du chemin, virer à gauche sur le sentier qu conduit à une **grande pierre tabulaire en grès** « *la pierre sorcière* ». Revenir sur le chemin e continuer. Au carrefour, descendre à gauche dans le chemin creux.

5 Au poteau de la « Basse Corde » prendre la piste en face (route de Montagny). Continue jusqu'à la **croix Marchand** puis revenir sur vos pas au poteau des Bons Amis, aller à droit (route des Bons Amis, vers route du Regard pour admirer le **grand chêne au 4 branches** tronc appelé « *bénitier de Saint-Hubert* » sur la droite du chemin avant le panneau qui raconte la forêt. Continuer tout droit et après la barrière prendre la rue goudronnée du Moulin, continue et retrouver le chemin pavé. Au bout des pavés aller à gauche et remonter. Après avoir traversé puis longé l'église, une petite visite au **cimetière romantique** s'impose, en sortant longer so mur à droite, aller vers la poste et descendre pour rejoindre le parking.

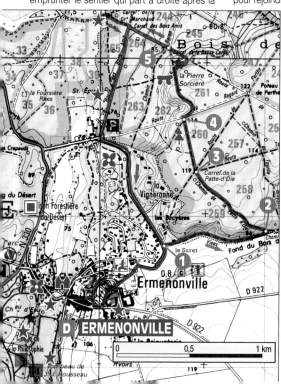

ruidiques

ERMENONVILLE

Domaine royal avant le XIIᵉ siècle,
le massif d'Ermenonville appartient
ensuite pour l'essentiel à l'Eglise. Mais
depuis la Restauration, 43 % de la forêt
d'Ermenonville est une forêt domaniale ;
le reste est privé.

Restauration de landes en faveur de la biodiversité

Le réseau de landes du massif forestier d'Ermenonville
constitue l'un des ensembles écologiques les plus
précieux de Picardie et du nord de la France. Ces espaces
sont reconnus d'intérêt européen. De nombreux habitats
et espèces rares y sont menacés. La fragmentation des
landes conduit à leur isolement progressif et réduit les
possibilités d'échanges entre les sites, menant à terme à
la disparition des espèces. La restauration des corridors
écologiques reliant les différents sites est primordiale.
Elle se réalise, par exemple, par des chantiers de
bénévoles qui maintiennent ces espaces non boisés.

Balisage jaune
(CDRP 60)

2 h 15

6,7 km

ACCÈS AU DÉPART

Route RD 330 Senlis. À partir du village d'Ermenonville.

INTÉRÊTS

★ Parc Jean-Jacques
Rousseau

★ Ermenon-
ville • Château remanié au
XVIIIᵉ s. • Église et cimetière
romantique

🌲 Forêt domaniale avec
arbres remarquables

Pierres druidiques :
Pierre Sorcière

À Ermenonville, dans le parc Jean-Jacques Rousseau. -VT-

Église Saint-Germain à Mont-l'Évêque (inscrite Monument historique en 1969). -VT-

Un village

AU FIL DU PARCOURS

D En partant du parking

1 Traverser au niveau de l'église, passer devant sa porte et continuer tout droit. Prendre à gauche au niveau du **portail du château**, longer la rue et tourner à droite. Descendre vers le bas du village et traverser **la Nonette**.

2 À la sortie du village, prendre le chemin qui part à droite le long du mur. Longer le mur jusqu'au bout et continuer tout droit.

3 En arrivant sur la route tourner à gauche puis reprendre à gauche (en passant la chaîne) le chemin qui repart dans les bois.

4 Arrivé à la barrière, prendre le 2ᵉ chemin à droite entre les numéros de parcelles 6 et 5. Au carrefour du poteau prendre le 2ᵉ chemin à gauche (direction Route du Chêne Pouilleux).

5 Au carrefour suivant prendre la 1ʳᵉ à gauche entre les parcelles 5 et 2. Au prochain carrefour continuer tout droit en longeant la parcelle 3.

6 Puis tourner sur le deuxième chemin à droite au carrefour suivant, continuer jusqu'à la petite route et tourner à gauche pour revenir vers Mont-l'Évêque.

lié à sa forêt

MONT-L'ÉVÊQUE

Les fermes et les maisonnettes s'étagent le long du coteau de la Nonette. Ainsi que le rappelle le nom de la commune, ces terres furent attribuées à l'évêque de Senlis en 1214.

Le grand gibier et les chasses

Dans les forêts du Parc naturel régional Oise - Pays de France le grand gibier, cerf élaphe, chevreuil, sanglier, est très présent. Le lien entre l'homme et ces animaux est, toujours, resté très fort. Ainsi, l'homme, a donné au cerf, de nombreux noms : biche, faon, de 1 an à 2 ans le jeune mâle est appelé *« daguet »*. De même pour le sanglier, la femelle se nomme la laie, les petits les marcassins, les jeunes des « bêtes rousses » et les mâles âgés des « solitaires ». Sous les monarchies la chasse était un privilège réservé aux rois et à la noblesse. C'est par un décret du 4 août 1789 que ce privilège est aboli et que les propriétaires sont autorisés à chasser sur leurs terres. Aujourd'hui dans le Parc, la chasse se pratique de novembre à mars : à courre selon une tradition ancestrale, à tir à l'affût ou avec chien, en battue dans les espaces dégagés. La chasse à courre ou vénerie a laissé une empreinte très forte dans nos forêts avec, en particulier, les aménagements d'allées larges et disposées en étoiles.

Aucun balisage

1 h 45
7,1 km

Évitez de faire cette randonnée en période de chasse (fin 09 à fin 03). Pour connaître les périodes et les zones chassées vous pouvez appeler les mairies des villages ou consulter le site Internet du Parc.

ACCÈS AU DÉPART
Route RD 330 Senlis
À partir du cimetière de Mont-l'Évêque le long de la D 330 (direction Ermenonville).

INTÉRÊTS

Mont-l'Évêque
• Château de Mont-l'Évêque

Château et ancienne abbaye de la Victoire commémoratifs de la bataille de Bouvines (XIIIᵉ s.)

Chevreuil surpris. -VJ-

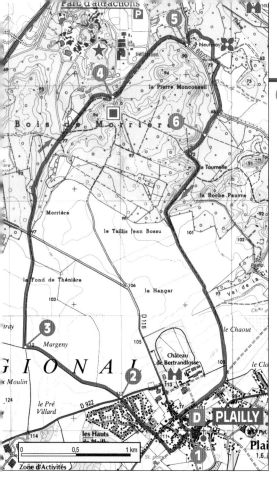

Des

D De l'église Saint-Martin à Plailly.

① 1 À la **fontaine**, en regardar l'église, rejoindre à droite le parc de jeux d'enfants, le longer et prendre gauche la ruelle de Messire l'Effraye La traverser ; continuer tout droit dar la rue Verte. Laisser le chemin qui pa à gauche et continuer et traverser l rue de Paris. Puis en face (rue d Puits Josset) jusqu'au stop.

② Traverser la RD 922 et prendre l chemin de terre qui part en face.

⑤ Après 15 mn, prendre à droite l chemin de terre. Continuer jusqu'à route RD 118, la traverser. Prendre l petit sentier qui part en parallèle de route d'accès des pompiers. Cont nuer sur le chemin sableux en laissar le portail vert sur votre droite.

④ Longer la **clôture du Parc Asté rix**, puis passer sous un vieux pont d chemin de fer.

⑤ Arriver à la RD 607, traverser e faisant attention, aller à gauche pu prendre le chemin qui part à droit dans Neufmoulin. Continuer sur l chemin enherbé, longer la clôtur des chevaux puis rester sur le senti de droite en longeant la clôture par droite. Passer à côté d'une barriè **(point de vue sur le château de Va lières).** Prendre le chemin qui part gauche puis de suite le sentier qui pa à droite parallèle à la route. Au bout d sentier, taverser à nouveau la RD 60

⑥ Prendre en face la route Chem. de la Tournelle. À droite, en une 1, heure découvrir le **sentier pédag gique de la « Pierre Monconseil »** table de pique-nique, point de vu panneaux d'interprétation, ... Poursuivre le chemin et emprunte le chemin de terre qui part vers l gauche. En sortant de la forêt, pou suivre le chemin de terre. Arrivé a village, aller à droite, suivre la rue q longe le lotissement puis prendre gauche la ruelle du châtelain. A bout de la ruelle, traverser la rue e aller à gauche pour rejoindre l'**église**

Fontaine au départ du circuit. -GG-

50

La plaine de Plailly formée des calcaires de Saint-Ouest est une zone riche pour les cultures. La dune du bois de Morière est plantée de pins. La zone humide, le long de la Thève est liée à l'affleurement des argiles de Villeneuve.

Balisage jaune
(CDRP 60)

2 h 40

10 km

ACCÈS AU DÉPART

Par la D 922
Parking de l'église Saint-Martin à Plailly.

INTÉRÊTS

■ Pont d'une ancienne ligne ferroviaire fantôme

❀ Prairies humides de la Thève

🏰 Château de Vallières

À proximité :

★ Parc d'attractions Astérix

L'agrion de Mercure *(photo page 13)*

Cette libellule (famille des *odonates*) est reconnue comme ayant la larve la plus sensible à la qualité des cours d'eau. Sa présence est signe d'une bonne qualité des eaux. Les premières émergences des adultes surviennent, ici, en mai et l'essentiel des populations se maintient jusqu'en août. La reproduction commence par la formation de couples dès les premières heures chaudes de la journée. Comme chez beaucoup de libellules, un cœur copulatoire se forme. La femelle pénètre entièrement dans l'eau et y entraîne le mâle qui généralement se détache rapidement. La femelle poursuit sa tache subaquatique par la ponte des œufs sur les plantes d'eau. Les œufs, une fois éclos, donnent une larve primaire, qui va alors commencer sa croissance dans l'eau. Après plusieurs mues successives, pouvant s'étaler sur une période de deux ans, la larve grimpe sur un support végétal hors de l'eau pour effectuer sa dernière mue, dite mue imaginale, de laquelle va émerger l'adulte fini ou imago.

Les prairies humides de la Thève

Implantées en bordure immédiate des cours d'eau, en queue d'étangs ou dans les vallées inondables, les zones humides jouent un rôle fonctionnel fondamental en termes de régulation du débit des cours d'eau et de préservation de la qualité de l'eau. Ces milieux ouverts sont liés au pâturage et à la fauche de la végétation qui y pousse. Ils tirent leurs spécificités de leur hydromorphie, c'est-à-dire de la présence quasi constante d'eau dans le sol. Cette particularité fait que les végétaux et animaux qui y vivent sont très spécialisés et parfois très rares : agrion de Mercure (libellule), orchis morio (orchidée), Iris des Marais.

Orchis morio et Iris des marais. -PNR Oise - Pays de France-

51

Les montagnes

D₁ Départ du parking de l'église à Auger-Saint-Vincent. Longer l'église puis continuer dans la rue Sainte-Marie. Dès la sortie du village prendre à droite en longeant le long mur. Suivre le chemin des vignes le long du mur puis traverser la rue et partir à gauche puis à droite dans la rue Saint-Mard. Continuer tout droit sur le chemin agricole.

1 Au calvaire de la Croix Verte, aller en face. Entrer dans le bois et monter tout droit. En sortant du bois, continuer tout droit en longeant des vergers.

D₂ **2** En arrivant à Rosières (autre départ), aller à droite pour admirer le **point de vue** revenir sur vos pas (en laissant l'église à gauche) et partir tout droit en laissant la rue à droite. Continuer sur le chemin agricole.

3 Dans le bois au carrefour aller à gauche (balisage **blanc-rouge**). Sortir du bois et continuer jusqu'à un carrefour.

4 Virer à gauche en suivant le balisage blanc-rouge (à droite pour rejoindre **Ormoy-Villers**). Retrouver la Croix-Verte au point 1, prendre à droite et revenir en sens inverse à Auger-Saint-Vincent.

D₃ De la gare d'Ormoy-Villers (autre départ), suivre la D 98 en tournant le dos au

Porche de l'église Saint-Caprais
à Auger-Saint-Vincent (XIIᵉ s.) -VT

village, après 500 m prendre le chemin qu part à gauche (2ᵉ chemin) continuer en fac au prochain carrefour et rejoindre le carrefou en 4. Poursuivre le balisage blanc-rouge e face. Au carrefour de la Croix-Verte, tourner gauche et suivre le descriptif du point 1.

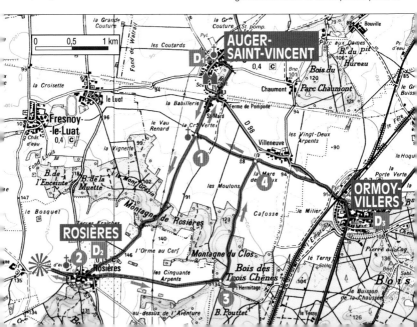

d'Auger

Aux confins de l'Oise et aux portes de l'Ile-de-France, bordé par les forêts de Compiègne, de Retz et d'Ermenonville le pays de Valois se caractérise par la richesse de son patrimoine et la diversité de ses paysages. Le Valois est bien « ce vieux pays, où, pendant plus de mille ans, a battu le cœur de la France » *(G. de Nerval)*

Les lavoirs

Les lavoirs couverts ont été construits, sous Napoléon III, par volonté d'introduire l'hygiène dans les pratiques domestiques. Les municipalités se préoccupaient peu d'hygiène avant la loi du 3 février 1851 par laquelle l'État ouvre un crédit extraordinaire de six cents mille francs pour encourager les communes à bâtir bains et lavoirs publics. Autrefois lieux de vie remplis des cancans de village, ils sont aujourd'hui des lieux paisibles où viennent souvent s'abreuver les animaux sauvages. *« À cette époque on lavait 2 ou 3 fois par an. Dans l'immense bac on mettait une couche de cendre, une couche de linge et ainsi de suite puis on couvrait d'eau bouillante. C'était une ambiance extraordinaire… »*

Balisage blanc-rouge et jaune

Départ 1 : 3 h 00
12 km

Départ 2 : 2 h 30
12 km

Départ 3 : 3 h 30
15 km

ACCÈS AU DÉPART

D₁ À partir du parking de l'église à Auger-Saint-Vincent.

D₂ À partir du parking de l'église à Rosières.

D₃ À partir de la gare d'Ormoy-Villers.

INTÉRÊTS

🏰 Château d'Auger-Saint-Vincent

☀ Point de vue à Rosières

Le château Saint-Mard (XIXᵉ s.). -VT-

L'abbaye de

L'abbaye de Royaumont est un ancien monastère cistercien. -VT-

FONDATION ROYAUMONT

AU FIL DU PARCOURS

D Parking de l'abbaye de Royaumont.

1 Face à l'**abbaye**, aller à gauche puis, après avoir passé le pont, traverser et prendre à droite le long de la route.

2 Après le prochain pont, aller à droite (**vers le camping des Princes**) au carrefour tourner à gauche et prendre la route forestière qui part derrière la barrière.

3 Au 1er carrefour prendre le chemin forestier à gauche.

4 Arrivé à la route, traverser et aller à droite jusqu'au village de Baillon.

5 En arrivant à la mairie annexe, aller à gauche puis prendre le petit pont et tourner à gauche. Longer le canal puis le mur. Quand le mur fait angle aller sur le chemin à gauche

derrière la barrière et continuer à le longer. Continuer dans l'allée en forêt et au bout, aller à droite pour rejoindre l'abbaye.

POUR DÉCOUVRIR LES ÉTANGS ET LE PALAIS ABBATIAL. Continuer en partant face à l'abbaye vers la droite. Longer la route en restant sur le bas côté gauche. En arrivant à la route départementale, prendre à gauche en longeant le mur. Prendre de nouveau à gauche en continuant à longer le mur. À l'angle, traverser la route et partir vers la gauche sur le bas coté. Retraverser sur le passage piéton pour aller à gauche sur le pont et rejoindre l'abbaye.

Royaumont

14

Visitez la plus grande abbaye cistercienne d'Île-de-France fondée en 1228 par Louis IX (Saint Louis) et sa mère Blanche de Castille. Elle est le foyer de la première fondation culturelle de France créé en 1964.

L'hydraulique monastique à l'abbaye de Royaumont

Alliée au rituel sacré ou à l'usage domestique, l'eau est indissociable de l'histoire de cette abbaye royale. Le choix du site a permis l'installation des équipements hydrauliques nécessaires à la vie quotidienne des moines. Le bâtiment des latrines est traversé par un canal. L'eau de ce canal provient de l'Ysieux détournée et de la Nouvelle Thève. Il recueille les eaux usées des cuisines et les eaux pluviales. En 1791 le marquis de Travenet y installe une filature de coton. En 1815 se développent une blanchisserie et des ateliers d'impression d'étoffes. En 1876 les sœurs de la Sainte-Famille de Bordeaux y disposent une machine élévatoire, la roue actionnait la pompe qui tirait l'eau d'un puits adjacent et alimentait ainsi toute l'abbaye. Aujourd'hui ces canaux qui traversent le parc constituent un des éléments de décor les plus remarquables du domaine.

Les canaux qui entourent l'abbaye de Royaumont. -VT-

Aucun balisage

1 h 30
5,6 km

ACCÈS AU DÉPART
Parking de l'abbaye.

INTÉRÊTS
Abbaye de Royaumont

À Royaumont. -VT-

Senlis
cité médiévale

Le 1er juin 987, lors d'une assemblée des Grands du royaume à Senlis, Hugues Capet est élu roi des Francs. C'est le début de la dynastie des Capétiens qui met en place un pouvoir héréditaire. Pendant près d'un millénaire la dynastie règne sur le trône de France avec sa branche directe, puis celle des Valois à laquelle succède celle des Bourbons.

Détail de la cathédrale Notre-Dame-de-l'Assomption. -VT-

ACCÈS AU DÉPART

Gare routière (ancienne gare de Senlis). Stationnement à proximité de la gare routière.

AU FIL DU PARCOURS

D Dos à l'ancienne gare (A)) suivre la rue en face. Avant le rond-point virer à droite, traverser la route et continuer en face. Au niveau de la statue de Thomas Couture (B) virer à gauche, continuer en face rue Saint-Pierre (sur la gauche l'ancienne église Saint-Pierre (C) XIᵉ-XVIIᵉ s.).

1 Virer à droite rue aux Flageards, à gauche cathédrale Notre-Dame-de-L'Assomption (D) (XIIᵉ-XVIᵉ s.), au bout tourner à gauche rue de Villevert puis à droite impasse Baume. Emprunter les escaliers dans l'angle à gauche du Prieuré Saint-Maurice (E). Passer le centre d'information et d'orientation et continuer dans la ruelle pavée (rue Saint-Péravi).

2 Tourner à droite rue de la Treille, passer une ancienne porte, rempart gallo-romain (F). Continuer en face rue de la Poulaillerie. Prendre la 1ʳᵉ à gauche et rejoindre la place aux Gâteaux.

3 Virer à gauche rue de Beauvais, passer l'ancienne église Saint-Aignan (G) et l'Hôtel de Ville (H). Emprunter à gauche la rue du Châtel puis à droite la rue de la Tonnellerie. Suivre à gauche la rue du Petit Chaalis. Sur la place Notre-Dame (cathédrale Notre-Dame, musée d'Art et d'Archéologie (I), virer à droite rue du Chancelier Gérin (A/R à droite à la chapelle Saint-Frambourg (Xᵉ-XIIIᵉ s.) (J).

4 Suivre à gauche l'av. du Général Leclerc. Retrouver le rond-point proche du départ puis la gare routière *(photo ci-dessous)*.

-VT-

'ôtel du Vermandois à Senlis. -VT-

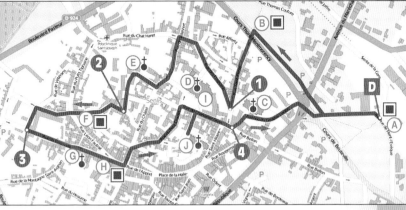

Musée d'Art et d'archéologie

Installé dans l'ancien palais épiscopal, ce musée présente une collection allant des vestiges gallo-romains aux peintures du XXᵉ siècle, en passant par des objets liturgiques du Moyen Âge, des sculptures ainsi qu'une collection d'ex-voto remarquables...

Musée d'Art et d'Archéologie 03 44 24 86 72 www.musees-senlis.fr

Les « sexe-voto » du temple

« Plusieurs de ces ex-voto sont des statuettes de sexe masculin. On le sait tout simplement parce qu'on le voit. Elles montrent leurs organes génitaux sous des vêtements ostensiblement relevés ! Attributs parfois d'apparence normale, ils sont le plus souvent hypertrophiés par de terrifiantes pathologies qui en font d'improbables... sexe voto ! Ils ont été retrouvés parmi 360 autres dans le temple gallo-romain d'Halatte. Beaucoup des statuettes qui y furent retrouvées, d'apparence fruste, ont vraisemblablement été taillées par les pèlerins. D'autres, conçues par des artisans, sont nettement plus élaborées. » Elles représentent les parties du corps à guérir *(photo à droite)*.

Extrait de 100 lieux pour les curieux Oise de Denis Girette. Avec l'aimable autorisation de reproduction des Éditions Bonneton.   *-DG-*

Chantilly

Le château de Chantilly dans un site remarquable de la vallée de la Nonette. -VT-

AU FIL DU PARCOURS

D Dos à la gare, se diriger à droite vers le rond-point. Suivre le chemin en diagonale en forêt (balisage jaune) au niveau du panneau « Forêt de Chantilly » (prudence : chemin d'entraînement des chevaux de course). Continuer tout droit jusqu'au Poteau du Puits.

1 Suivre à gauche la route des Postes vers Croix de Diane et suivre à droite le chemin en bordure de route. Au rond-point de Diane, continuer tout droit le long de la route jusqu'au rond-point des Lions. Descendre à gauche en bordure de route, vers l'entrée du château de Chantilly.

2 Face à l'entrée du Domaine de Chantilly, emprunter le sentier à gauche qui commence le long de la route et se diriger vers l'entrée du musée du Cheval. Prendre à gauche entre l'hippodrome et le musée. Après 200 m, virer à droite, traverser la place (statue d'Henri d'Orléans) et rejoindre la rue du Connétable. La suivre à gauche puis virer à droite rue des Potagers, en bout continuer à gauche rue de la Faisanderie (Potager des Princes, musée vivant de la Basse Cour Naine).

3 Descendre à droite l'avenue du Bouteiller. En bas, longer le canal à gauche (blanc-rouge). En bout au niveau d'une passerelle virer à gauche le long du canal. Traverser la route et entrer dans le parking de la Manse. Monter les escaliers et rejoindre la rue principale.

4 Virer à gauche et tourner à droite avenue Condé. À la barrière suivre le chemin en diagonale (vue à gauche sur l'hippodrome). Emprunter le chemin avec barrière. Au carrefour du Bois Bourillon prendre la 2e à droite. En bout à route rejoindre l'OT puis la gare.

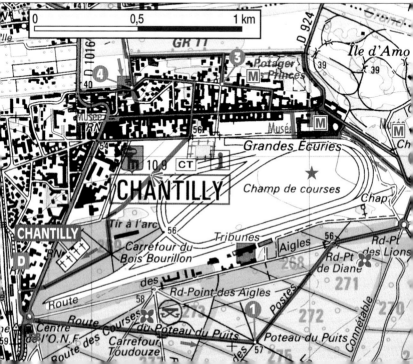

Forêt et ville

CHANTILLY

L'hippodrome de Chantilly accueille chaque année 197 courses dont deux courses prestigieuses au mois de juin : le Prix du Jockey Club réservé aux chevaux de 3 ans, et le Prix de Diane réservé aux pouliches de 3 ans.

Mais qui était le duc d'Aumale ?

Le duc d'Aumale est né le 16 janvier 1822. C'est le cinquième fils du futur roi des Français, Louis-Philippe. Il n'a que 8 ans quand son parrain, le dernier Prince de Condé, qui en a fait son légataire universel, meurt. Il hérite alors d'un patrimoine énorme, certainement le plus gros de France à cette époque. Dans ses propriétés se trouve le domaine de Chantilly. Cavalier hors pair, il en fera le centre hippique que l'on sait. Mais le duc d'Aumale est aussi fin lettré, grand militaire et homme politique. Toute sa vie, il devra supporter les vicissitudes d'un siècle où les régimes politiques se succèdent les uns aux autres, monarchie, république ou empire. Son engagement pour la France ne sera pas toujours reconnu. Sa carrière militaire commence en Algérie en 1840. En 1848, il est obligé de s'exiler en Angleterre. En 1870, on refuse qu'il s'engage pour combattre contre la Prusse ! En 1871, il est élu député de l'Oise. La même année, il rentre à l'Académie française. Il est rayé des cadres de l'armée en 1886, en vertu de la loi qui interdit aux membres des familles ayant régné toute fonction militaire. *« Le plus bleu de tous les Bourbons »* comme il se définissait meurt en 1897, léguant son domaine de Chantilly à l'Institut de France.

Aucun balisage

1 h 40

6 km

ACCÈS AU DÉPART

Gare de Chantilly. Stationnement (payant) à proximité de la gare.

INTÉRÊTS

🌲 ▣ ★ Forêt • Hippodrome de Chantilly

👥 Ⓜ ★ Domaine de Chantilly : château • Musée Condé • Parc • Musée du Cheval.

À proximité :

🏰 Senlis

Dressage. -VT-

L'hippodrome de Chantilly avec à gauche les grandes écuries. -VT-

La forêt

Route pavée du Bois Belle Fille dans la forêt de Carnelle. -PNR Oise - Pays de France-

Dans le village de Presles. -NI-

bas couper un chemin et remonter en face[à] droite. Couper une route, poursuivre en fac[e,] passer l'**allée couverte** et gagner la route.

2 La suivre à droite 50 m et prendre un che[min] min à gauche. À la fourche suivante prend[re] à droite, couper un chemin et continuer tou[jours] jours en face jusqu'à un rond-point forestier[.]

3 Aller vers le **lac bleu,** par la droite fai[re] le tour complet du lac. Revenir au carrefou[r,] 50 m avant la barrière et prendre un sentier [à] droite (jaune). Rejoindre une route à suivre [à] droite 30 m puis un sentier à gauche. Long[er] la **mare des Sylphes** et tout droit gagner u[n] croisement.

4 Prendre à gauche et au prochain carre[four] four descendre le **chemin pavé du bois Bel[le]** **Fille.** Toujours en face, retrouver le croise[ment] ment en 1. Poursuivre en face rue du boi[s] Belle Fille. Au 1er stop prendre en face, a[u] second à droite D 78. Passer devant le **par[c]** **de Courcelles, château,** avant le pont alle[r] à droite vers Nointel et tout droit revenir à [...]

AU FIL DU PARCOURS

D Sortir de la gare, franchir à gauche le passage à niveau et continuer rue A. Prachay. À la fourche suivante prendre à droite, puis à gauche rue d'Orves et à gauche ruelle Tortue. En bout continuer un sentier en sous-bois, rejoindre la route, descendre à droite et à gauche rue H. Douay.

1 Au croisement, laisser la 1re route à gauche et prendre rue de la Carrière. En bout de route monter le sentier en forêt. Sur un replat virer à gauche, monter, sur le plat à la patte-d'oie prendre à droite et descendre. En

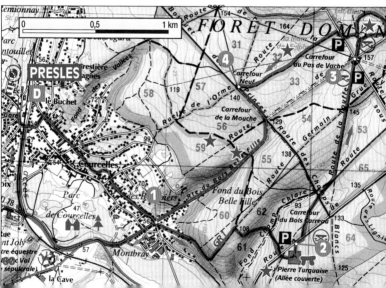

de Carnelle

17

PRESLES | SAINT-MARTIN-DU-TERTRE

*'allée couverte de la Pierre-Turquaise,
u Turquoise est appelée ainsi pour deux
aisons. Il pourrait s'agir de la couleur de la
oche : le grès, ou plus vraisemblablement,
e nom évoquerait les Turcs. En effet, au
ours du Moyen Âge il était habituel que ce
ype de monument soit désigné par le nom
'ennemis de la France.*

La forêt de Carnelle
et le télégraphe Chappe

Le 12 juillet 1793, la forêt de Carnelle fut le témoin
des premiers essais du télégraphe de Chappe : 26 mots
furent transmis en 11 minutes entre Ménilmontant et
Saint-Martin-du-Tertre, soit une distance de 26 km.
Claude Chappe et ses frères avaient inventé un système
de communication à partir de signaux optiques émis
du haut d'une tour vers une autre, afin de pouvoir
communiquer rapidement en cette période troublée,
de révolution et de guerre. Au sommet de ces tours
se trouvaient des bras en bois articulés envoyant
des messages « codés ». L'invention fut présentée à
l'Assemblée en 1792. La première ligne fut établie
entre Paris et Lille. Le réseau se développa au rythme
des circonstances militaires et politiques. Monopole
d'État, le télégraphe était coûteux, les comptes de la
compagnie étaient dans le rouge… Ce ne fut que grâce
à la transmission des numéros de la Loterie nationale
pour la presse locale qu'un second souffle fut trouvé,
jusqu'à l'apparition du télégraphe électrique au milieu
du XIXe siècle.

Balisage : jaune de D à 1
après 3 à 1, blanc-rouge
1 à après 3 et de 1 à D

2 h 30
8,5 km

● **ACCÈS AU DÉPART**

Parking de la gare de
Presles.

● **INTÉRÊTS**

★ 🎭 Allée couverte de
la Pierre-Turquaise • Lac
beu • Mare des Sylphes

🌲 🏰 ★ Parc et château
de Courcelles (ne se visite
pas)

🌲 Forêt de Carnelle

À proximité :

★ ⚱ Abbaye de Royau-
mont.

*L'allée couverte de la
Pierre-Turquaise au point 2. -NI-*

61

À Villers-Saint-Frambourg. -NI-

AU FIL DU PARCOURS

D Vers l'**église de Villers-Saint-Frambourg** prendre rue de la croix Dupille, puis tourner à gauche rue Vielle de Pont. Aux dernières habitations continue chemin des vaches.

1 A l'entrée du bois franchir la barrière e prendre le chemin à gauche. Continuer tou jours en face et descendre à la route. La suivr à gauche 10 m et prendre le 1er chemin à droit (**Attention il y a un autre chemin**). Après 700 r suivre un sentier à droite sur 50 m puis un autr à gauche.

2 À la **croix St-Rieu** suivre la route à gauch 30 m puis le 2ème chemi à gauche (**blanc-rouge** Tout droit, couper un route et prendre la pist en face, puis abandon ner **blanc-rouge** et res ter sur la piste tout droi Passer un 1er carrefour e atteindre un 2ème.

3 Entre les parcelle 227 et 250 virer sur l chemin à gauche. Au pro chain croisement tourne à droite et à 100 m gagne les **vestiges du templ gallo-romain**). Revenir su ses pas et poursuivre e face. Tout droit en délais sant les chemins latéraux arriver à un chemin plu large vers une propriété.

4 Prendre en face, pas ser la **croix de St-Pierre** sortir du bois et suivre u sentier entre cultures. Ver une barrière prendre gauche et gagner la rout à suivre à droite pour reve nir à l'église.

*Ce sentier ne vient qu'effleurer la
partie orientale des 6 000 ha de la forêt
d'Halatte. De tout temps l'homme a
imprimé sa marque dans cette forêt, sous
la forme de dolmens, de fontaines et autres
bornes armoriées. Par cet itinéraire nous
allons à la découverte des vestiges d'un
temple de guérison érigé vers la moitié du
Ier siècle après J.-C.*

Le temple d'Halatte

L'édifice était un sanctuaire de guérison. Il était
vraisemblablement composé d'un trapèze de 40 m de
côté et d'une galerie permettant de circuler autour
de la « cella », où se trouvaient les ex-voto. On a pu
identifier deux pièces attenantes et des réserves, à
proximité. Il fut abandonné au Ve siècle, aux débuts de
la christianisation. Il présente aujourd'hui à niveau de
sol, le plan de ses murs arasés. Redécouvert et fouillé
une première fois entre 1873 et 1874, puis entre 1996 et
1999, il a fait l'objet d'une inscription aux Monuments
historiques en 2007. Ce temple a livré une moisson de
pièces de monnaie, de fibules, petites broches servant à
maintenir les vêtements, de bagues, d'objets de parure.
Ses fameux ex-voto sont autant d'offrande aux dieux,
dans l'espoir de la guérison. Mais, faute d'inscription,
on ignore tout des dieux et des déesses qui y étaient
vénérés. Nombre de ces vestiges est présenté au musée
d'Art et d'Archéologie de Senlis *(voir page 57).*

Balisage blanc-rouge 2 à
avant 3 ; aucun balisage
pour le reste

1 h 45

6,5 km

ACCÈS AU DÉPART

Parking à proximité de
l'église de Villers-Saint-
Frambourg.

INTÉRÊTS

⚒ Vestiges d'un temple
gallo-romain

★ ♣ Forêt domaniale
d'Halatte

À proximité :

🏛 ★ Senlis

Ⓜ Abbaye royale du Mon-
cel à Pont-Sainte-Maxence

*Temple gallo-romain de la forêt d'Halatte
après 3 et détail des murets. -NI-*

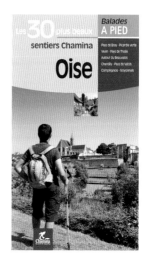

35 rue du Pré-la-Reine - 63028 Clermont-Ferrand cedex 2
Tél. 04 73 92 81 44
info@chamina.com - **www.chamina.com**
Dépôt légal : 2ᵉ trimestre 2014